長生き
したけりゃ
ふくらはぎを
もみなさい

鬼木 豊［監修］ 槙 孝子［著］

アスコム

はじめに

長生きする人のふくらはぎとは？

まず、ご自身のふくらはぎを手で軽くつかんでみてください。
触り心地はいかがですか？

心も体も元気で、ぐっすり眠れる方のふくらはぎは、温かく、やわらかく、弾力があると思います。

逆に、ふくらはぎが手のひらよりヒンヤリしている、フニャフニャして弾力がない、熱っぽい、かたくてカチカチ、パンパンに張っている、奥のほうにコリコリしたしこりがある、指で押すと跡がなかなか消えない。

そんな方は、体になにか不調があるか、心に大きな悩みやストレスを抱えているのではないでしょうか。

そのまま、ふくらはぎ全体を1分ほど、もんでみてください。

早くも足の先がポカポカしてきたり、背中がジワッと温かくなった人も多いと思います。


なぜ、ふくらはぎを触るだけで、体調がわかったりポカポカするのか？

それはふくらはぎのおかげで、血液がスムーズに体をめぐっているからです。

人間の血液は重力のために約70%が下半身に集まります。ふくらはぎは上からどんどん降りてくる血液を受けとめ、重力に逆らって、せっせと心臓に戻すポンプとして、日夜働き続けています。**第2の心臓**と呼ばれるほど重要な働きをもつ、筋肉器官なのです。

座る時間が長いと心臓病になる

ふくらはぎポンプが弱まると、血液は足によどむ一方です。そのこわさがよくわかるのが、「エコノミークラス症候群（旅行血栓症・深部静脈血栓症）」。

飛行機や車の狭い座席に長時間座っていると、血流がとどこおり、時にひざの裏などの静脈に血栓ができる。立った時、それが肺に飛んで血管を詰まらせる、という病気です。

成田空港だけでも毎年約150件も発生し、数人が亡くなっています。

超音波を使った実験などで、**イスに座って30分後には、ふくらはぎ上部の血流スピードが、座る前の半分になってしまうことが確認されています。**

その時、ふくらはぎを刺激すると血流がよくなるので、航空各社は長いフライトでは、ひざから下のストレッチをすすめています。

自宅でもオフィスでも、じっと座っている時間が長い。運動不足。逆に運動しすぎてふくらはぎが筋肉疲労している。ストレスが多い。エアコンで体が冷える……。そんな生活習慣は、ふくらはぎを衰えさせます。すると血栓ができやすくなり、血管も衰えて、脳梗塞や心臓病を呼び寄せてしまいます。

もむだけで、体が温まって免疫力がアップする！

平熱が36度を下回る低体温の日本人が、老若男女を問わず増えていますね。

昔から「冷えは万病の元」と言われ、現代の医学では「体温が1度下がると免疫力は30％以上、基礎代謝も10％以上落ちる」と唱えられています。

冷えのおおもとは、「血液のよどみ」。

川がよどむとにごるように、血液がスムーズに流れないから、栄養もホルモンもとどこおり、末端までよく血液が届かなくて、体が冷えてしまうんです。

その結果、胃腸や心臓、腎臓もよく働かず、免疫力が落ちて風邪をよくひき、がん細胞が勢いづきます。脂肪や老廃物がたまって、むくんだり太ったりします。あちこち体調が悪くて痛み、肌はくすんで、髪もパサパサに。


では、体の内側から血流をよくして体を温めるには？

かんたんです。ふくらはぎを毎日よくマッサージするだけです。これで自律神経もととのい、免疫力が格段に上がります。

万病を防ぐ、長寿のためのマッサージ

ふくらはぎマッサージ療法を発見したのは、外科医の故・石川洋一先生。30年前、点滴がうまく落ちない患者さんの、妙に冷たいふくらはぎをさすったら改善したのを

見て「これで血流を改善できたら、万病を防げる」と思いたち、メスを捨て、ふくらはぎひとすじで、多くの治療実績を残されました。

私が院長を務める「身心健康堂」では8年ほど前から、石川先生直伝のふくらはぎマッサージを施術に取り入れています。

冷え性・便秘が解消した。長年の腰痛が施術2回でほぼ消えた。がんの腫瘍マーカーの値が下がった。すっきりやせて、お肌がつやつやしてきた。なかなか眠れなかったお子さんが、マッサージ2分でスヤスヤ……。

ふくらはぎポンプの力には、目をみはる思いです。

本書では家でできるふくらはぎマッサージの方法を、カラー写真で解説しています（PART1）。いつ、どこでもできて、「よく眠れる」「お通じ快調」「肩こりがラクに」などの効果を、早ければ今日から体感できますよ。またPART2、3ではふくらはぎ健康法の詳しい解説と体験談を、PART4以降では、冷え、免疫力低下、肥満、高血圧、不眠、腰痛など、症状に応じたふくらはぎ健康法をご提案。PART12のQ&Aも、お役に立つと思います。

触るだけで体や心の状態がわかり、マッサージを続ければ体調がよくなるのですから、ふくらはぎはセルフドクター。まさに長寿のためのマッサージなのです。毎日触って、労をねぎらいながらもみほぐして、対話して、よい関係を築いてくださいね。

身心健康堂　院長　槙　孝子

［ふくらはぎマッサージの効果］

心臓・腎臓・血圧
心臓・腎臓の負担が軽くなり、血圧が安定します。

デトックス
酸素や栄養が全身に行きわたり、老廃物は排出されます。

ダイエット
基礎代謝を高め、余分な体脂肪が落ちます。

美容・アンチエイジング
細胞を若返らせ、老化を遅らせます。

自然治癒力
病変部分にも血液がたっぷり送られ、治癒を早めます。

がん、感染症、アトピー、花粉症
免疫力を上げるので、病気にかかりにくくなります。

肌荒れ、シミ、抜け毛、イライラ、更年期障害
筋肉、毛細血管への各種ホルモンの流入を助け、美容と精神安定に働きます。

不眠・うつ
自律神経をととのえ、不眠・うつの改善に働きます。

脳力・認知症
血液が脳細胞に行きわたるので頭が冴え、認知症を遠ざけます。

乳幼児の病気
アトピー、ぜんそく、風邪を遠ざけます。寝つきがよくなります。

長生きしたけりゃふくらはぎをもみなさい

目次

脳梗塞、がん、不妊…「冷えシンドローム」の恐怖
ふくらはぎをもんだら、点滴液が落ち始めた！
下半身には血液の70％が集中している
乳しぼりアクションで血液がめぐる
「熱くてかたい」と高血圧!?
ふくらはぎが知らせる、5つの不調
こむらがえりは不健康の証拠
「きんさん」が、ふくらはぎの力で認知症を克服
腹式呼吸と笑いでパワーアップ

PART 3

ふくらはぎマッサージで医者と薬を遠ざけた！ 体験談 …… 069

冷えとりマッサージで足腰ポカポカ、お通じドカン！
2歳の「眠らない娘」が2分でスヤスヤ

［長生きするふくらはぎ vs 早死にするふくらはぎ］

長生きするふくらはぎ

check ✓

- 冷えていたり熱っぽくなく、温かい □
- ゴムまりのように弾力がある □
- つきたての餅のようにやわらかい □
- 皮膚に張りがある □
- 奥にしこりがない □
- 指で押したとき、ひどい痛みがない □
- 指で押して離すと、すぐに元に戻る □
- 痛みやだるさがない □

早死にするふくらはぎ

check ✓

- 手のひらより冷たい □
- ほてったように熱い □
- 弾力がなくフニャフニャしている □
- ガチガチにかたい □
- むくんでパンパンに張っている □
- しこりがある □
- 押すとひどく痛いところがある □
- 押した指の跡が消えにくい □

PART 1

長生きするための「ふくらはぎマッサージ」のやり方

まず、基本のふくらはぎマッサージ（イスで、床で）と、
人にしてあげるマッサージを覚えましょう。
1日1～2分間でも、続ければ体が変わります。
仕事の合間やお風呂タイム、寝る前、朝起きた時など
習慣にしやすいタイミングを見つけて
歯磨きのように「当たり前のこと」にしましょう。

[ふくらはぎマッサージのポイント]

POINT 1
血液を心臓に戻すつもりで、
必ず**アキレス腱からひざ裏に向かって**もみます。

POINT 2
指で押しながらおなかをへこませて
息を吐き（腹式呼吸）、指の力を抜きながら、
息を吸います。あせらず、ゆっくり、ゆっくり。

POINT 3
「**ちょっと痛いけど気持ちいい**」強さでもみます。
ふくらはぎがかたい人は「さするだけ」から始めて、
無理せず進めます。決して力を入れすぎないこと。
笑顔をつくると、筋肉の緊張がとれます。

POINT 4
いつ、どこで、１日何回やってもかまいません。
痛い、つらいと感じたら**無理せず**やめます。
お風呂の後など、ふくらはぎが**温まっている時**に
やると効果的です。

POINT 5
汗や尿が出やすくなるので、
前後に**水やぬるま湯**をまめに飲んでください。

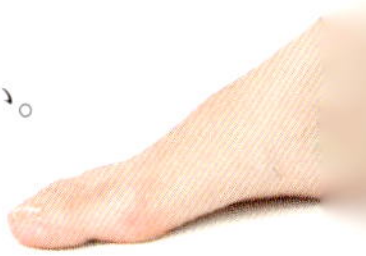

症状別、
ここをマッサージ。

石川先生の医学の知識と臨床経験に基づいた、身心の不調に対応するふくらはぎの部位です。基本的には**内側、中央、外側**のそれぞれをマッサージし、たとえば**冷え**のひどい人は、**内側**を、念入りにもんでみてください。**頭痛**や**腰痛**があったら、**外側と中央の両方**を、ていねいにもみほぐします。

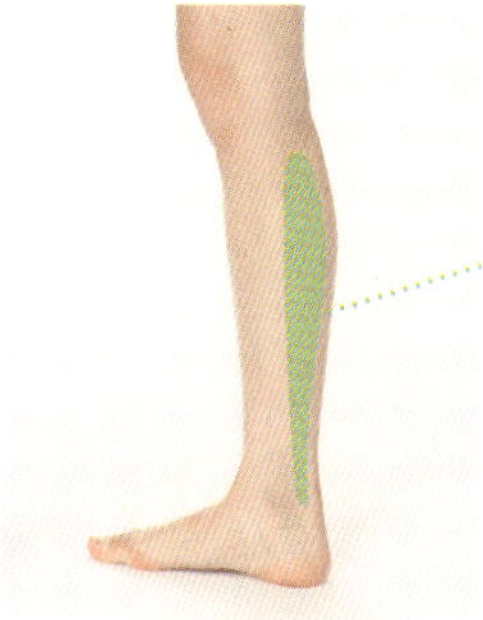

内側（親指側）

冷え性、月経不順、便秘、
ホルモンの失調、更年期障害、
排尿困難、肝臓の不調など

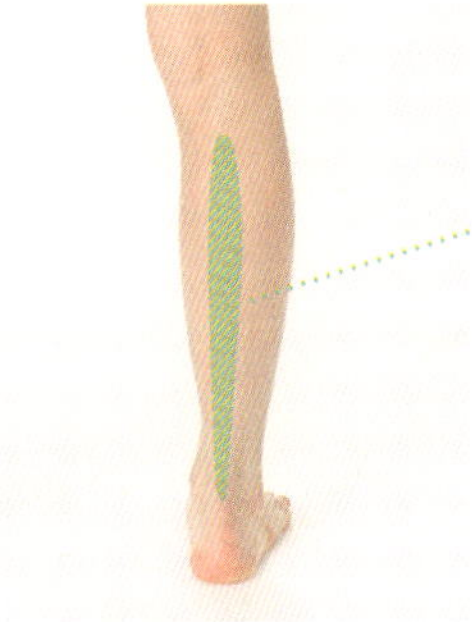

アキレス腱から中央

動悸、不眠、イライラ、
息切れ、頭痛、坐骨神経痛、
腰痛、むくみ、膀胱炎、
胸痛など

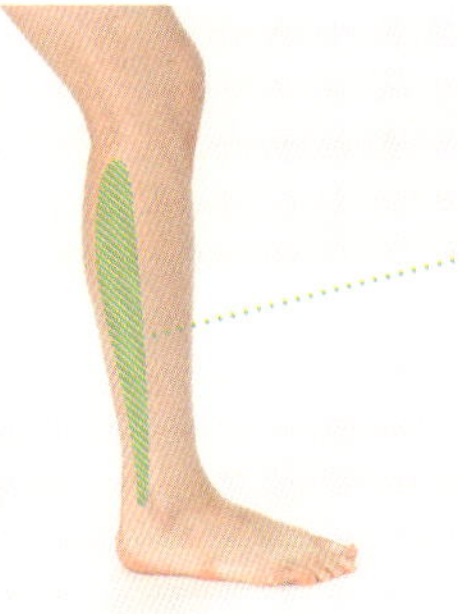

外側（小指側）

頭痛、首痛、肩こり、腰痛、
めまい、耳鳴り、助間神経痛、
ひざ痛など

イスで、1分間
ふくらはぎマッサージ

家でも、乗り物の座席でも、**たちまち血流アップ**。パソコンやテレビの前で、乗り物の中で、「**じっと座っている＝血液がよどんでいる**」時間がとても長くて、体が冷えている現代人。まず、イスの上でいつでもできる1分間ふくらはぎマッサージを覚えましょう。**どれでも、片足30秒ずつ、両足を**。仕事の合間に、テレビのCMタイムに、1日何度でも。気持ちよくて、クセになりますよ。

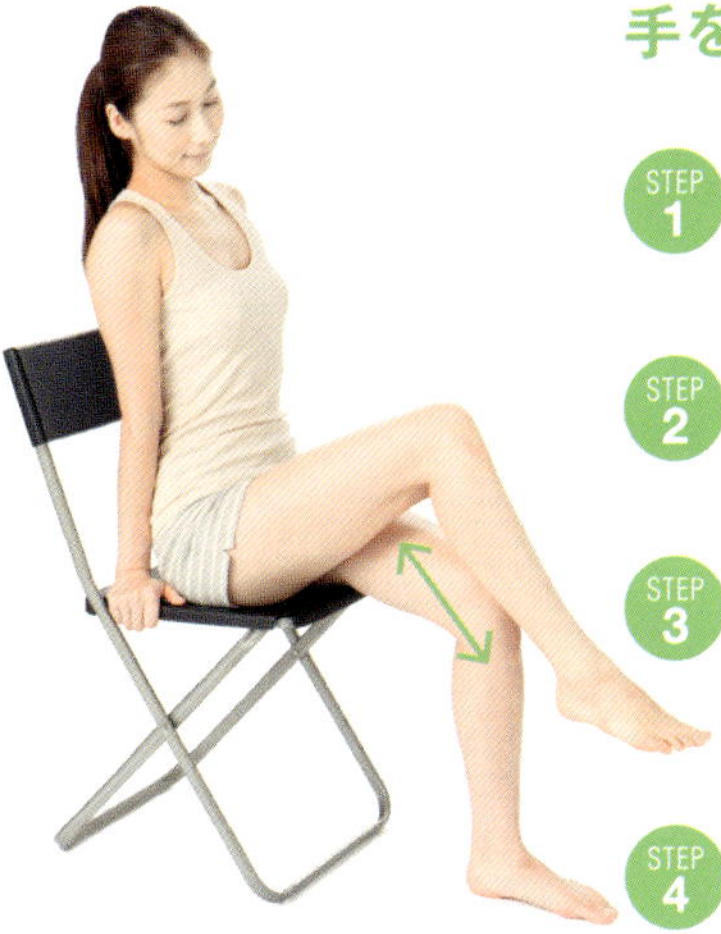

基本のイスマッサージ 1
手を使わずマッサージ

STEP 1 両手でシートのうしろをつかみます。

STEP 2 左足のひざに、右足のふくらはぎを軽く乗せます。

STEP 3 そのまま右の足を上下に動かし、ふくらはぎの中央をマッサージ。

STEP 4 外側、内側と位置をずらして、それぞれ上下に動かします。

STEP 5 慣れたら、上下に動かしながら足首を回すと、より血流がアップします。

STEP 6 左足も同様に。

基本のイスマッサージ 2

足を引き上げて

STEP 1 右足をイスに上げて胸に抱え、両手でアキレス腱からひざ裏に向かってもみます。

STEP 2 ふくらはぎの中央は両親指の腹を重ねてもみ、内側と外側は左右の親指でもみます。

STEP 3 左足も同様に。

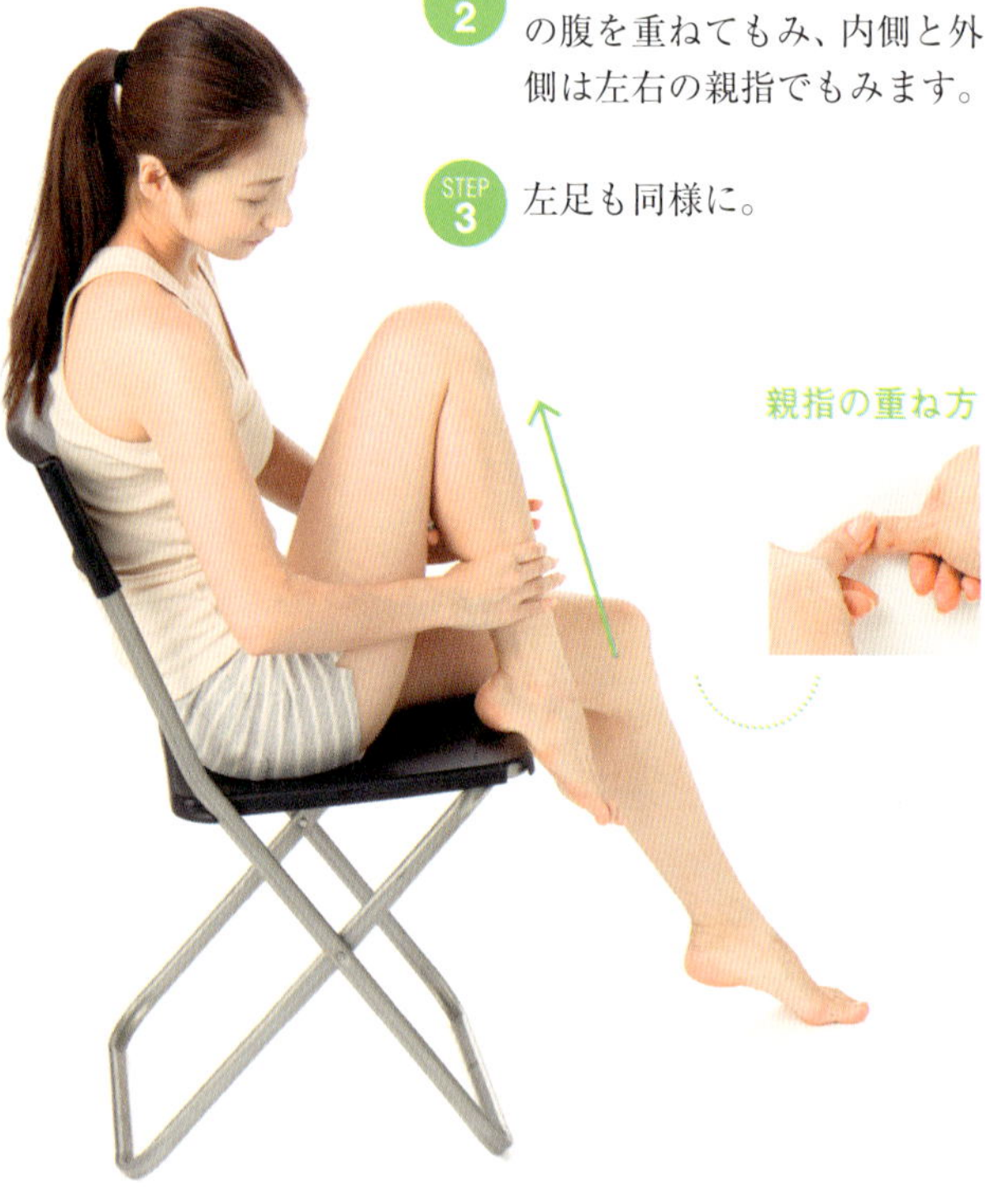

親指の重ね方

基本のイスマッサージ 3

片あぐらの姿勢で

STEP 1 右足を左の太ももに上げて、片方だけあぐらを組みます。

STEP 2 左手で足首をつかみ、右手でアキレス腱からひざ裏方向にもみます。

STEP 3 ふくらはぎの内側、中央、外側に分けて、それぞれをもみほぐすと効果的。

STEP 4 左足も同様に。

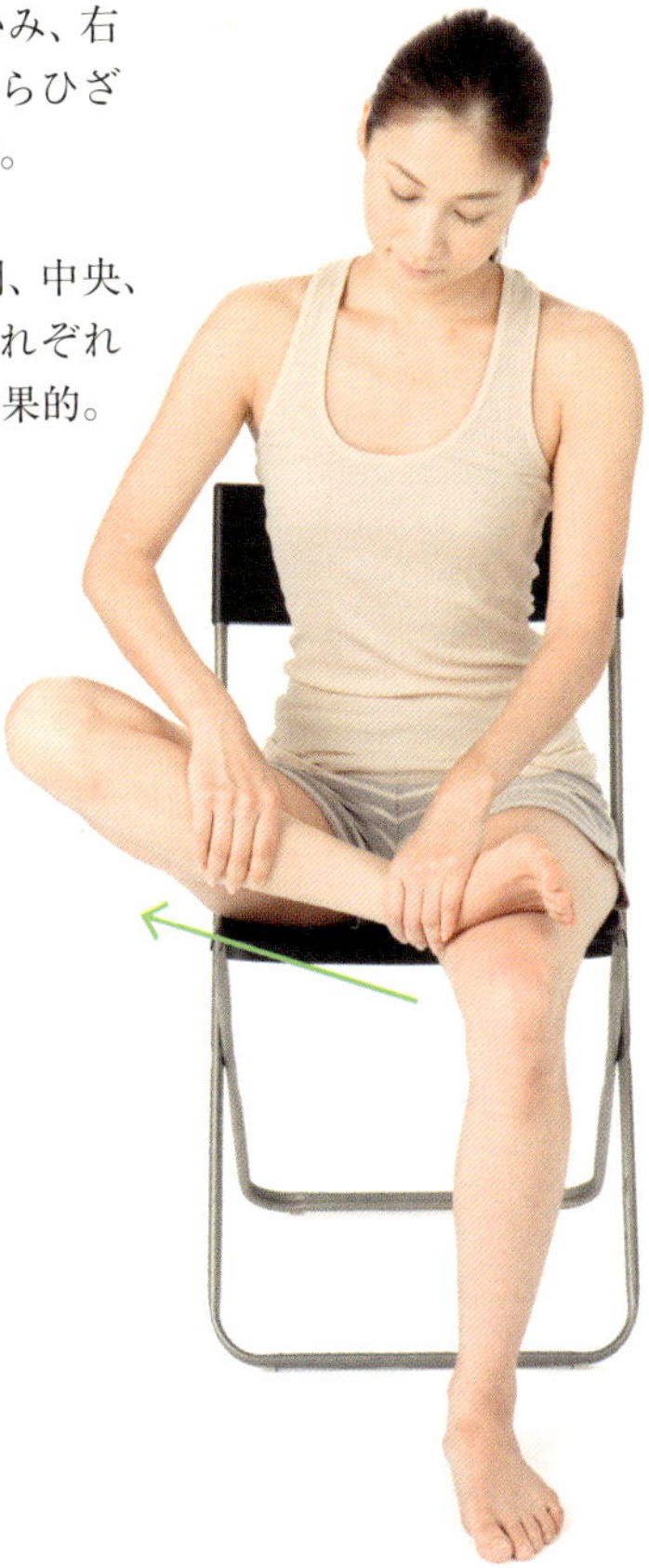

床で、基本の ふくらはぎマッサージ

P22からのマッサージで、ふくらはぎの血流アップ効果を体感したら、お風呂あがりや寝る前に、床に座って、ストレッチから基本のふくらはぎマッサージをやってみましょう。それぞれを、**毎日3～10回**くり返すと理想的ですが、最初はやりやすいメニューを選んで、回数もふくらはぎが痛まない程度に進めます。**週に2～3回**でも、続ければ体調がよくなります。

ストレッチ 1
足首の曲げ伸ばし

STEP 1 床に腰を下ろし、両手のひらを床につけて、足をまっすぐ伸ばします。

STEP 2 おなかをへこませつつ息を吐きながら、つま先を床に向かって倒します。足がつらないよう、様子を見ながら無理せずゆっくり。

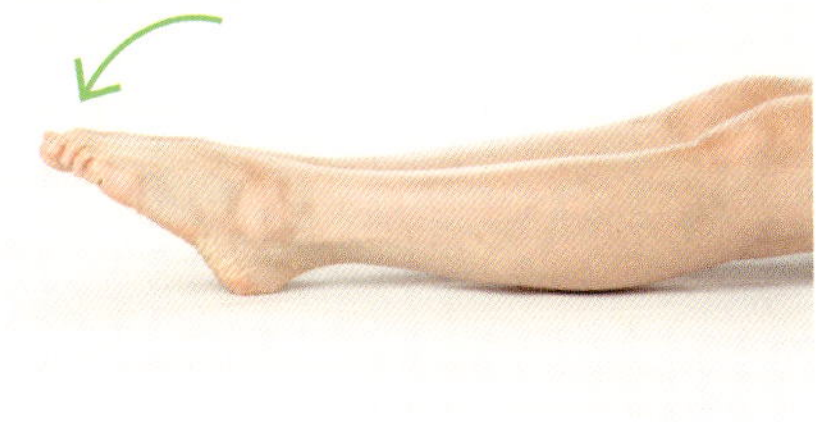

STEP 3 息を吸いながらつま先を起こし、足の裏と床が直角に近づくようにします。

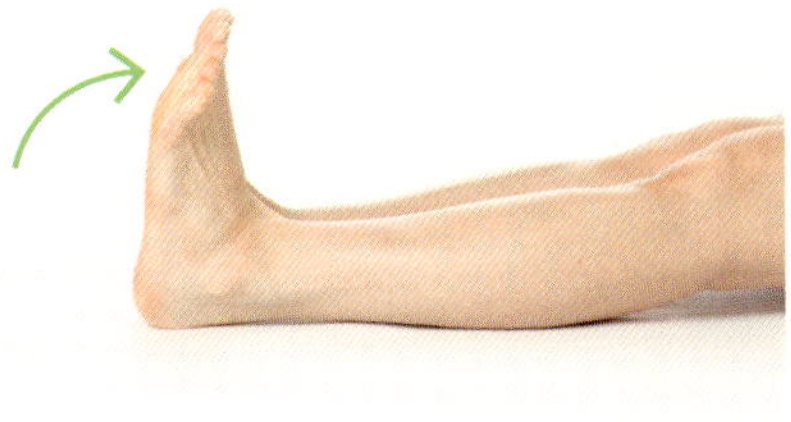

ストレッチ 2

足グーパー

STEP 1 両足の5本指を縮めて「グー」。

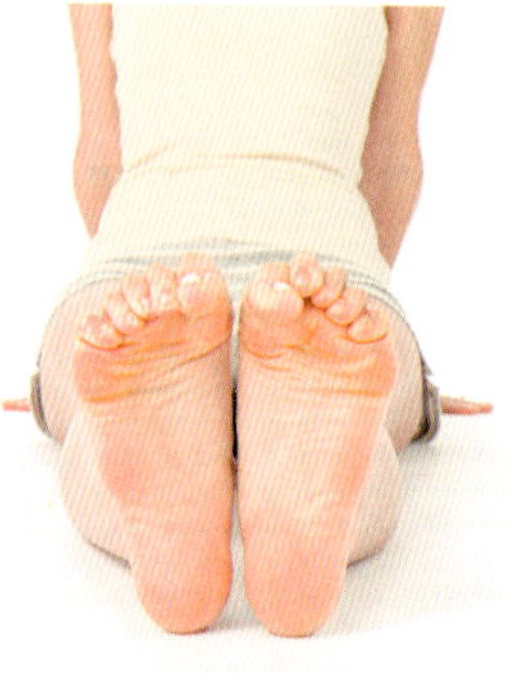

STEP 2 5本指の間を無理のない程度に広げて「パー」。

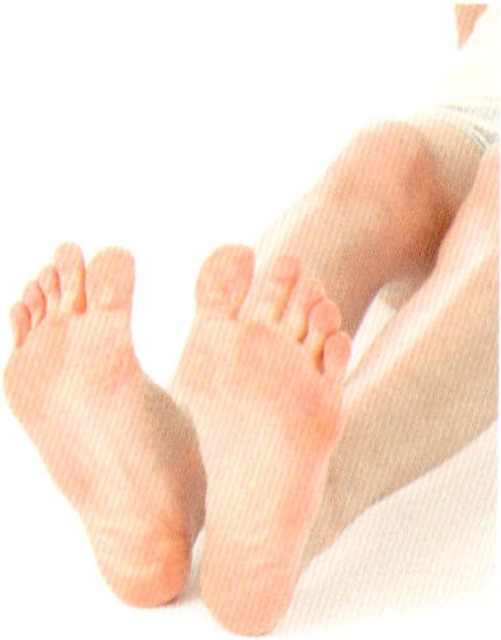

ストレッチ 3

足首を回す

STEP 1 左足首を右の太ももにのせ、左手でつかみます。右手の5本指と左足の5本指を握り合わせて、足首をゆっくり回します。

STEP 2 右足も同様に。

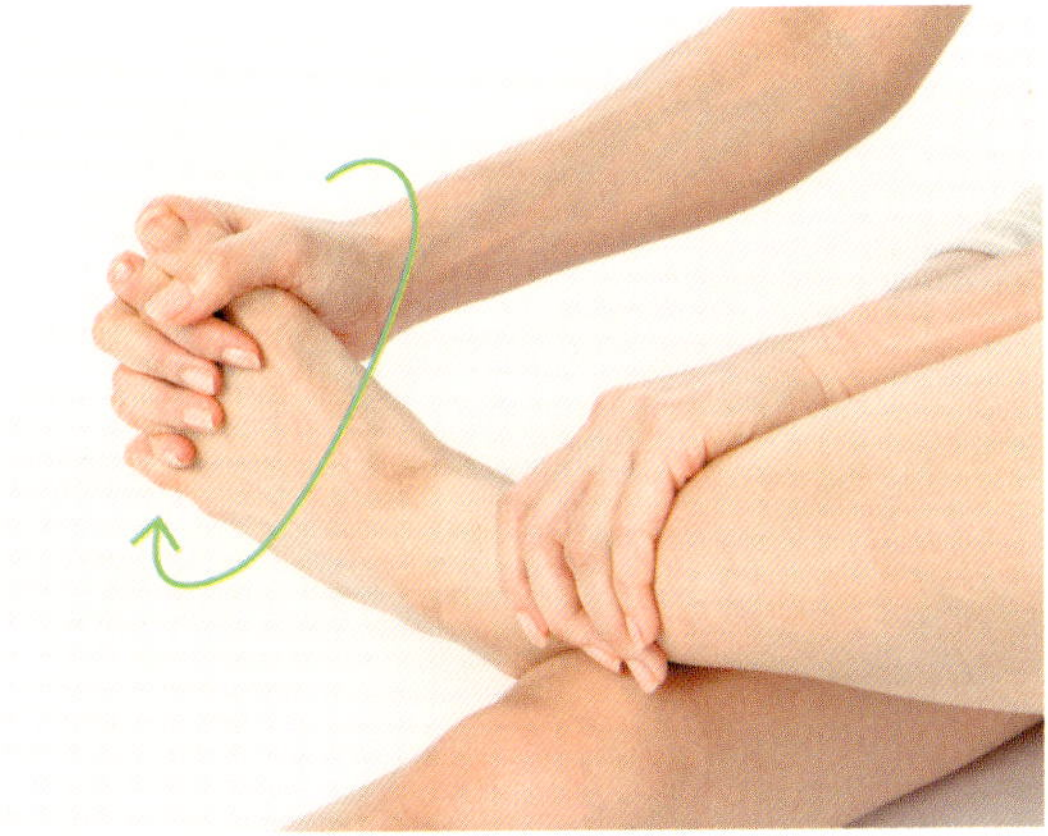

基本のマッサージ 1

ふくらはぎをさする、もむ、パッティング

STEP 1 右ひざを立てます。右手のひらをアキレス腱に当て、ひざ裏に向かって、ふくらはぎをゆっくりさすります。

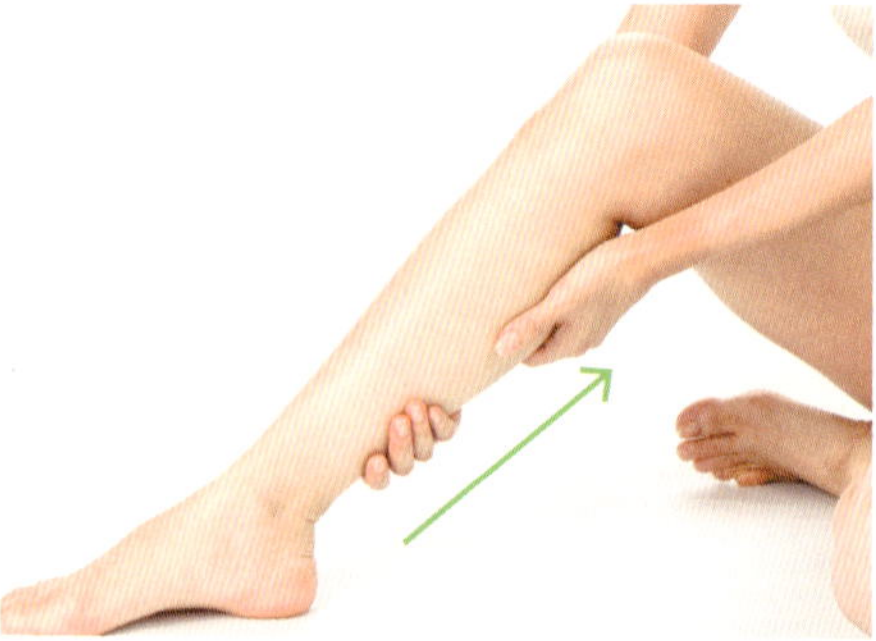

STEP 2 右手でふくらはぎをつかみ、下から上へ、もんでいきます。

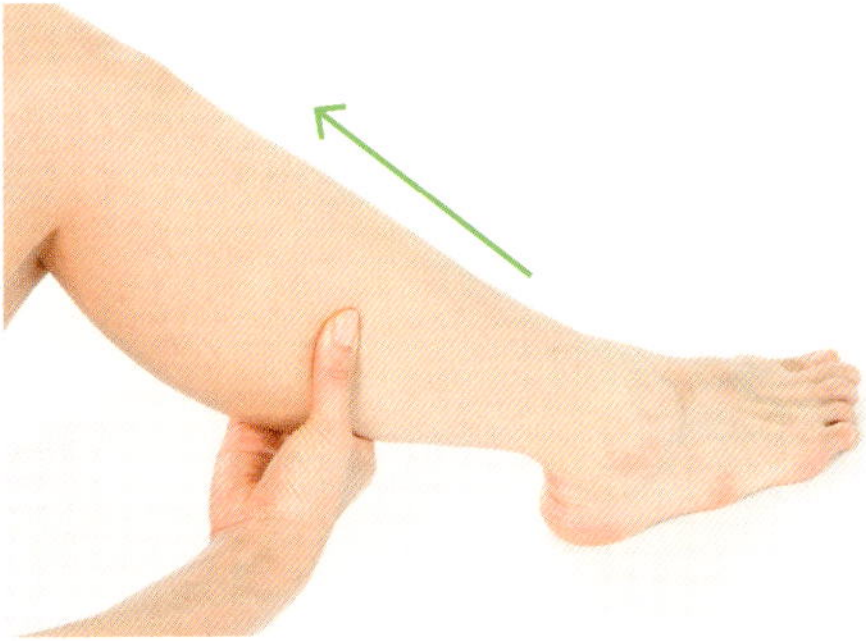

STEP 3 右手のひらで、ふくらはぎ全体を下から上へ、軽くたたきます（パッティング）。

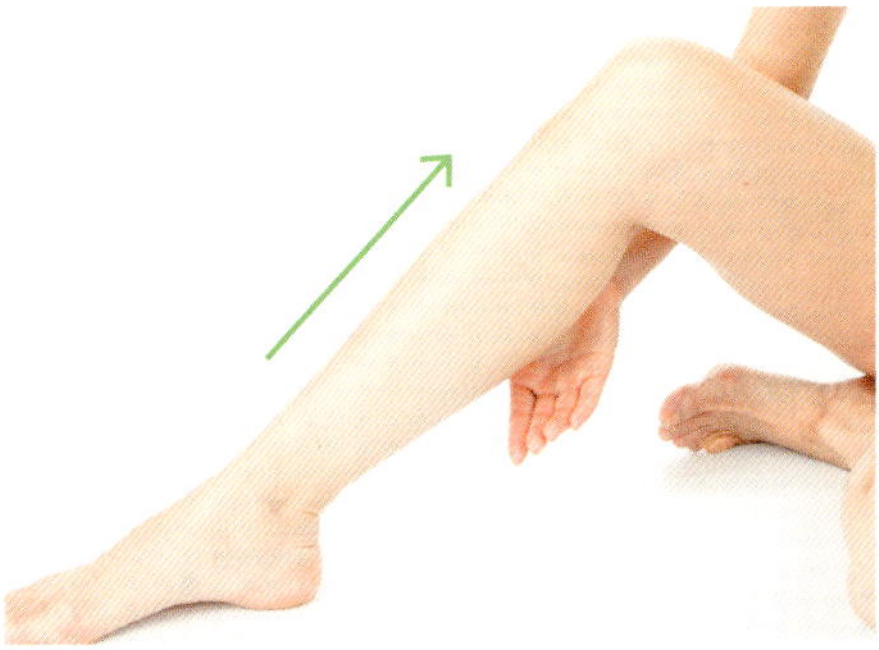

STEP 4 左足も同様に。

基本のマッサージ 2

内側の筋肉を刺激

STEP 1 右足裏を左ひざの側面に引き寄せ、ふくらはぎの内側を上に向けます。

STEP 2 両親指の腹を重ねて内くるぶしにおきます。

親指の重ね方

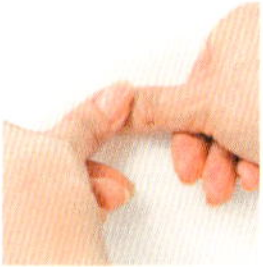

STEP 3 体重をかけながら、内ふくらはぎの骨のフチに沿って、ひざ裏まで筋肉をゆっくりと押していきます。写真の矢印のように、必ず上方向へ。

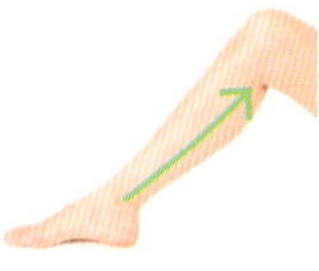

STEP 4 ひざ裏まできたら内くるぶしに戻り、くり返します。

STEP 5 左足も同様に。

基本のマッサージ 3

中央の筋肉を刺激

STEP 1 右ひざを立て、両手でふくらはぎをつかんで、両親指の腹を重ねます。

STEP 2 アキレス腱からひざ裏に向かって、両手で押していきます。

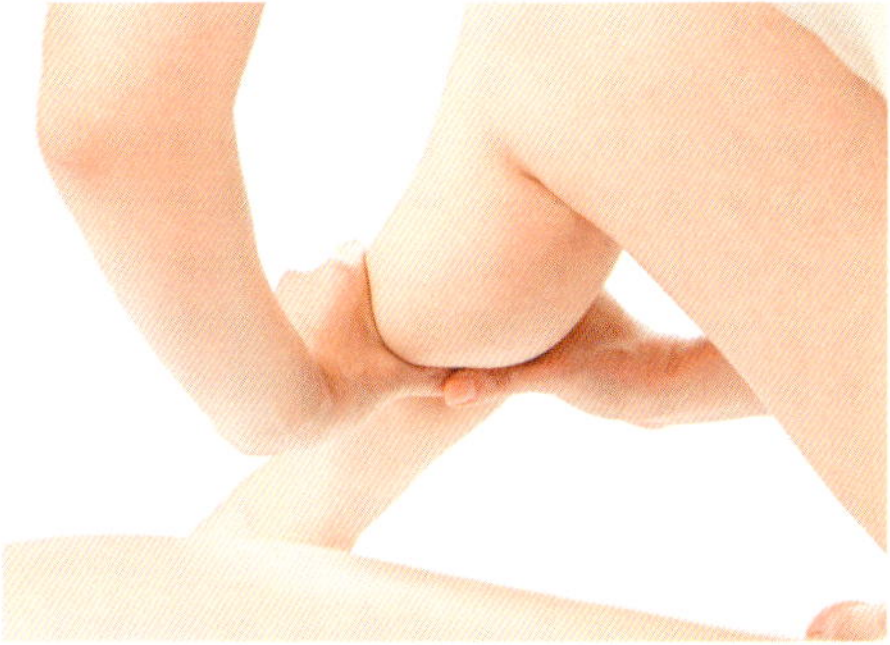

STEP 3 ひざ裏まできたら足首に戻り、くり返します。

STEP 4 左足も同様に。

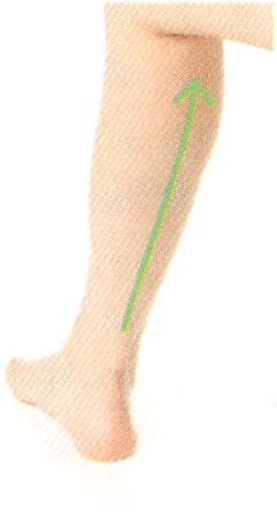

基本のマッサージ 4

外側の筋肉を刺激

STEP 1 右向きに横座りして、右足を床にぴったりつけます。

STEP 2 両親指の腹を重ねて外くるぶしにおきます。

STEP 3 体重をかけながら、外ふくらはぎの骨のフチに沿って、ひざ裏まで筋肉をゆっくりと押していきます。

STEP 4 ひざ裏まできたら外くるぶしに戻り、くり返します。

STEP 5 左足も同様に。

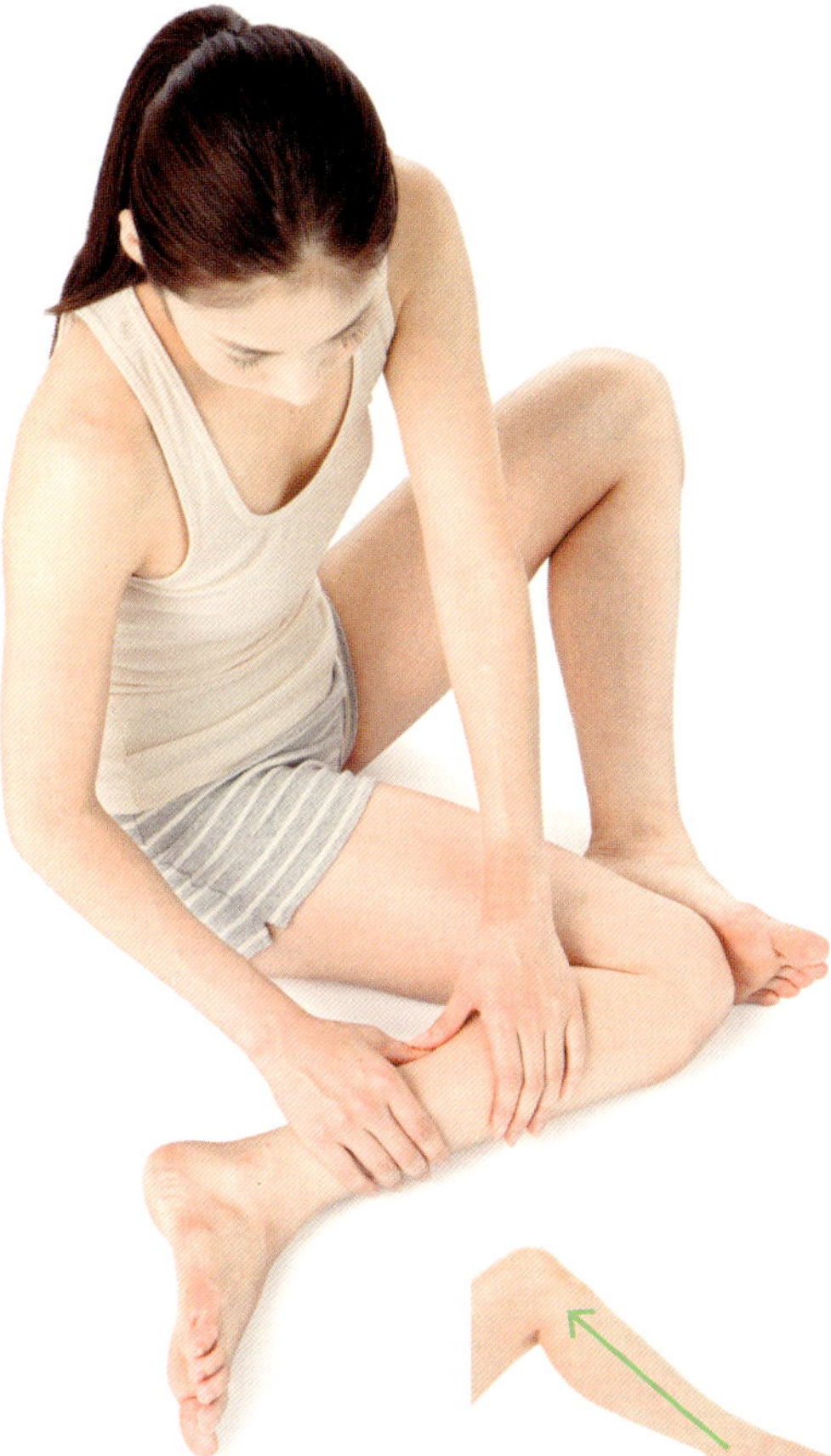

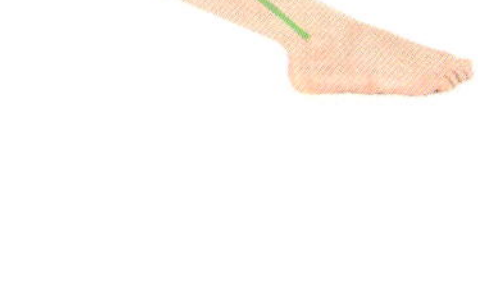

仕上げのストレッチ 1

アキレス腱をほぐす

STEP 1 右ひざを立てて胸のほうに引きつけます。

STEP 2 アキレス腱からふくらはぎの下1/3ぐらいまでを、右手で、やわらかくなるまでもみほぐします。

STEP 3 左足も同様に。

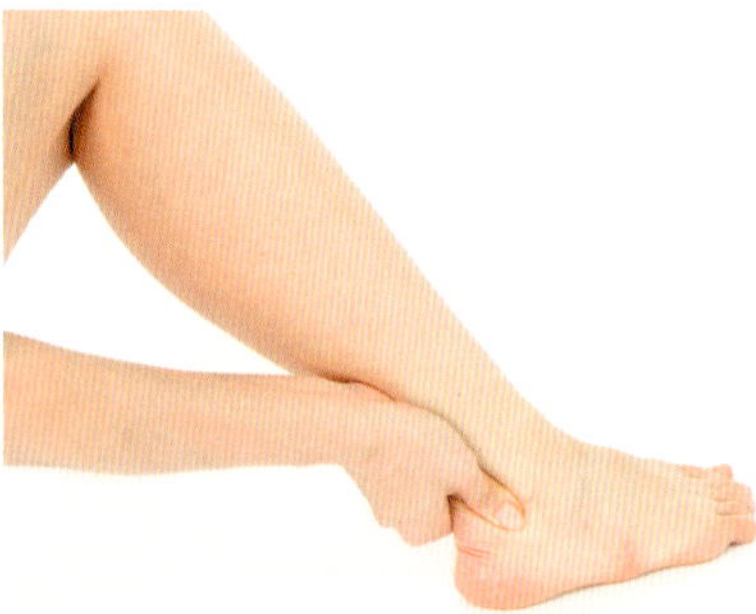

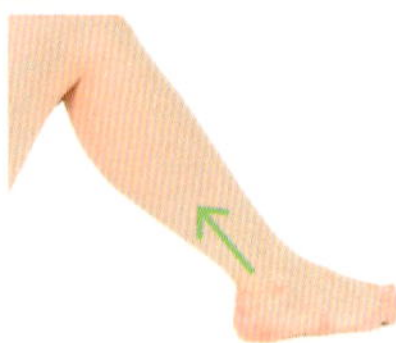

仕上げのストレッチ 2

アキレス腱とふくらはぎを伸ばす

STEP 1 壁に両手をつき、左足を前に出して右足をうしろに突っ張ります。

STEP 2 両足裏を地面につけて、アキレス腱とふくらはぎを伸ばし、ゆっくり10秒数えます。

STEP 3 左右の足を入れかえて同様に。

人にしてあげる、ふくらはぎマッサージ

家族や身近な人、体に不調のある人を、**うつぶせに寝かせて行う**ふくらはぎマッサージです。すねの下にタオルを入れると安定します。両手を使う場合は、親指の腹を重ねて、体重をかけるイメージで押していきます。決して、爪を立てたり、ギュウギュウ押して痛がらせないように。乳幼児も、生後４ヵ月ごろから大丈夫ですが、子どもは**やさしくさするだけ**で充分効果があります。あくまで健康法なので、大人も子どもも含めいやがったり、痛がったりしたらすぐやめます。

人にしてあげるマッサージ 1
さすって血行をよくする

STEP 1 まず、右足首を左手でつかみ、右手でアキレス腱からひざ裏にかけて、やや強めにさすります。

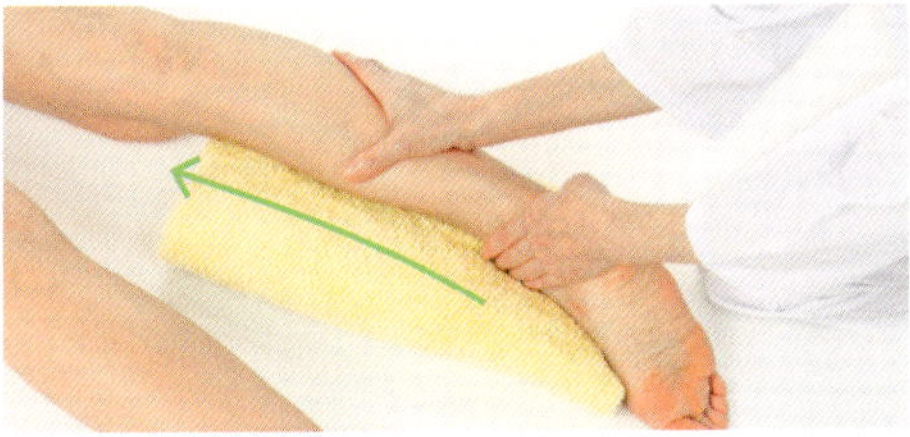

STEP 2 ひざ裏まできたら再びアキレス腱に戻り、くり返します。必ず心臓に向かってさすります。

STEP 3 手の位置をずらして、ふくらはぎの内側、外側もまんべんなくさすります。

STEP 4 ひざから下を少し持ち上げ、ふくらはぎ中央は手のひらで、内側と外側は軽くつかむようにして、心臓に向かってさすります。

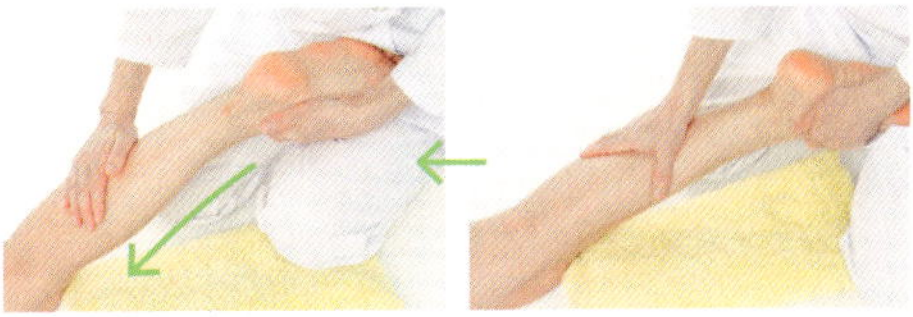

STEP 5 左足も同様に。

人にしてあげるマッサージ 2

軽くつまむ

STEP 1 両手で筋肉をつまみ上げるつもりで、右足のふくらはぎを、アキレス腱からひざ裏にかけて、軽くもんでいきます。内側、中央、外側を、それぞれもみます。

STEP 2 左足も同様に。

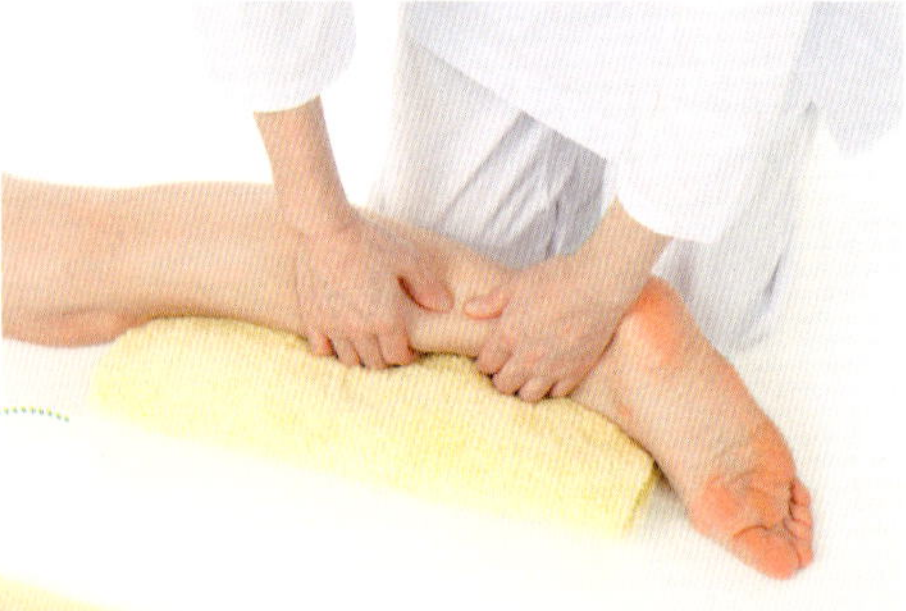

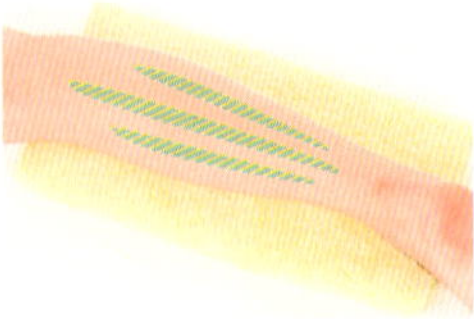

ふくらはぎの
内側、中央、外側

人にしてあげるマッサージ 3

握るようにもむ

STEP 1 おむすびを握るぐらいの強さで、両手で右足のふくらはぎを軽くつかみます。

STEP 2 アキレス腱からひざ裏まで、内側、中央、外側をそれぞれ、やさしく深くもみます。

STEP 3 左足も同様に。

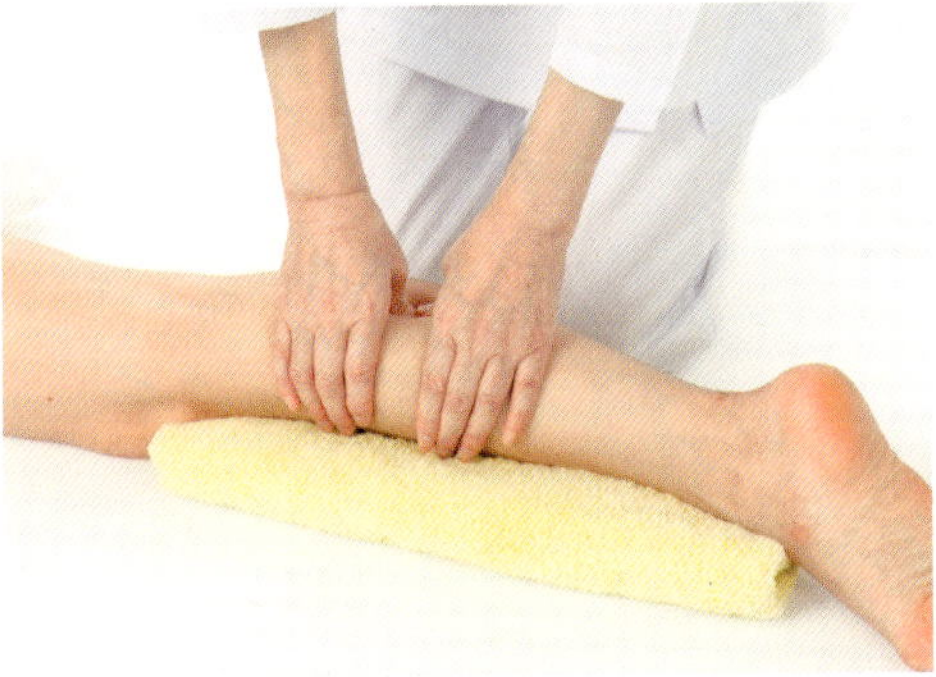

人にしてあげるマッサージ 4

体重をかけながら押す

STEP 1 まず、右足の中央のアキレス腱からひざ裏までの筋肉を、じっくりと押していきます。両親指の腹を重ねて、体重をかけながら行います。

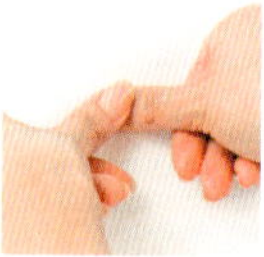

親指の重ね方

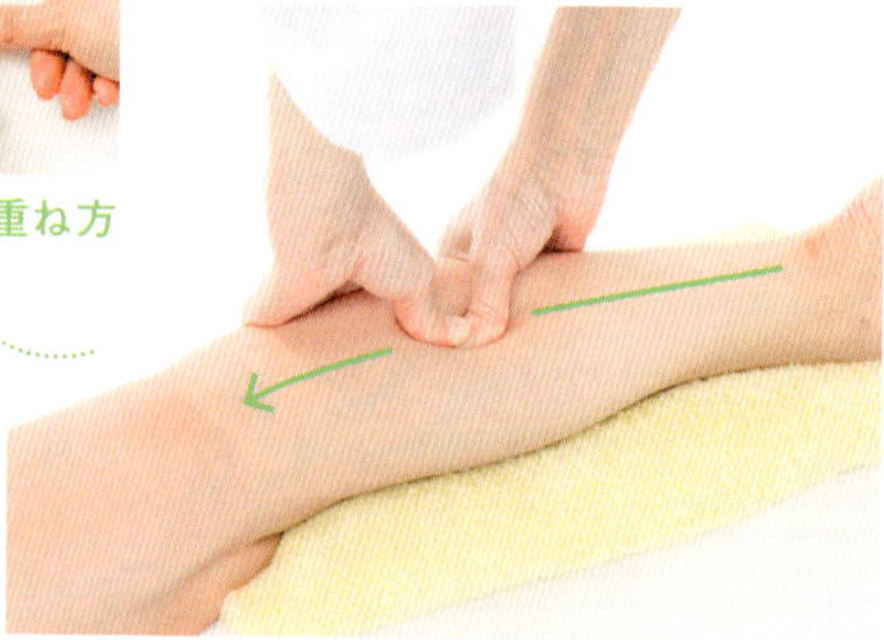

STEP 2 ひざ裏まできたら再びアキレス腱に戻って、くり返します。

STEP 3 ふくらはぎの内側と外側は、骨の内側のフチに沿って、押していきます。

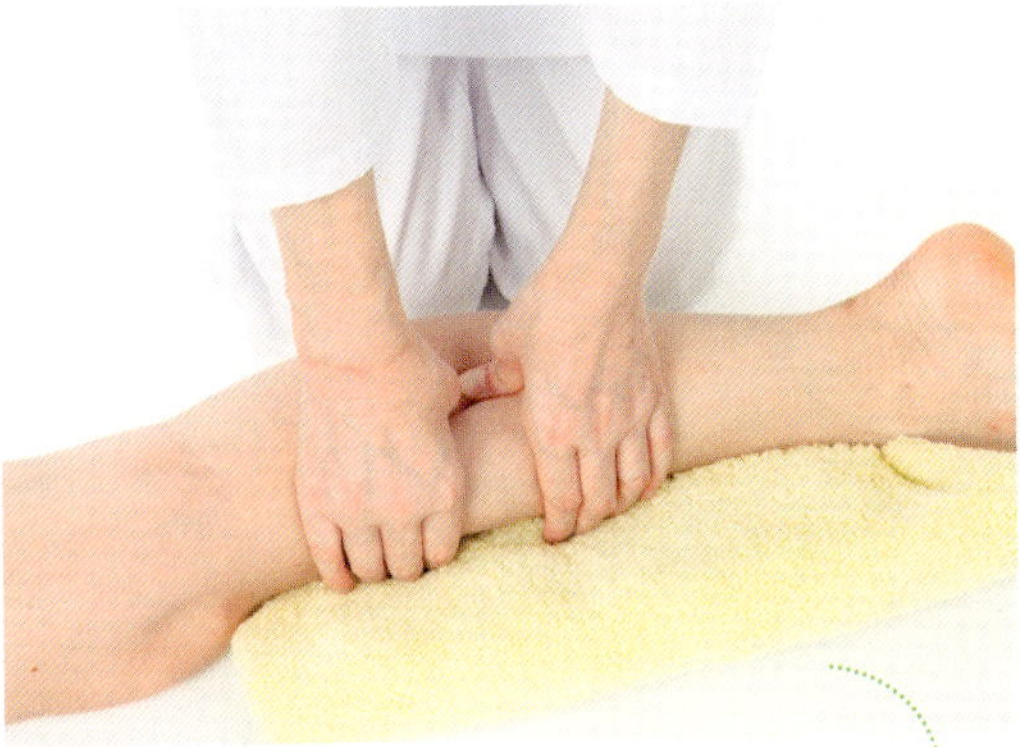

STEP 4 左足も同様に。

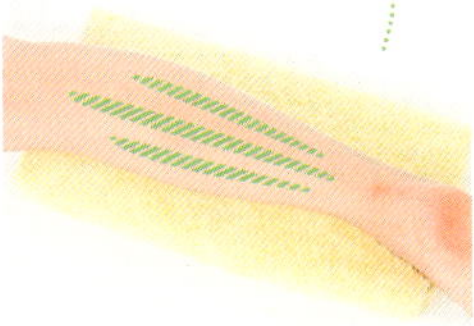

ふくらはぎの
内側、中央、外側

人にしてあげる仕上げのストレッチ 1

ふくらはぎ全体をほぐす

STEP 1 右足のひざを床から約60度上げて左手で支え、右手でふくらはぎ全体をほぐします。

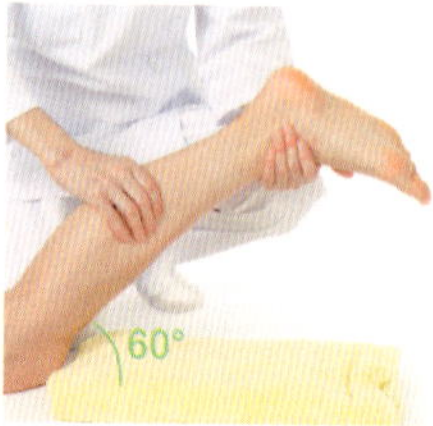

STEP 2 角度を上げて、血液を心臓に戻すつもりでマッサージします。

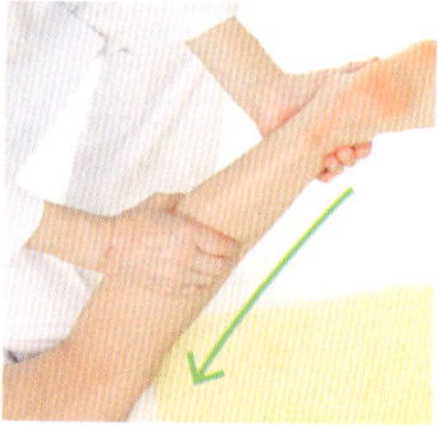

STEP 3 足の指先と向かいあって座り、ふくらはぎをなでおろすようにしたり、軽くたたいたり、全体を震わせたりすると、筋肉がより柔軟になります。

STEP 4 左足も同様に。

人にしてあげる仕上げのストレッチ 2

アキレス腱をほぐす

STEP 1 右足のひざから下を左手で持ち上げます。

STEP 2 アキレス腱からふくらはぎの下1/3ぐらいまでを、右手でやわらかくなるまでもみほぐします。

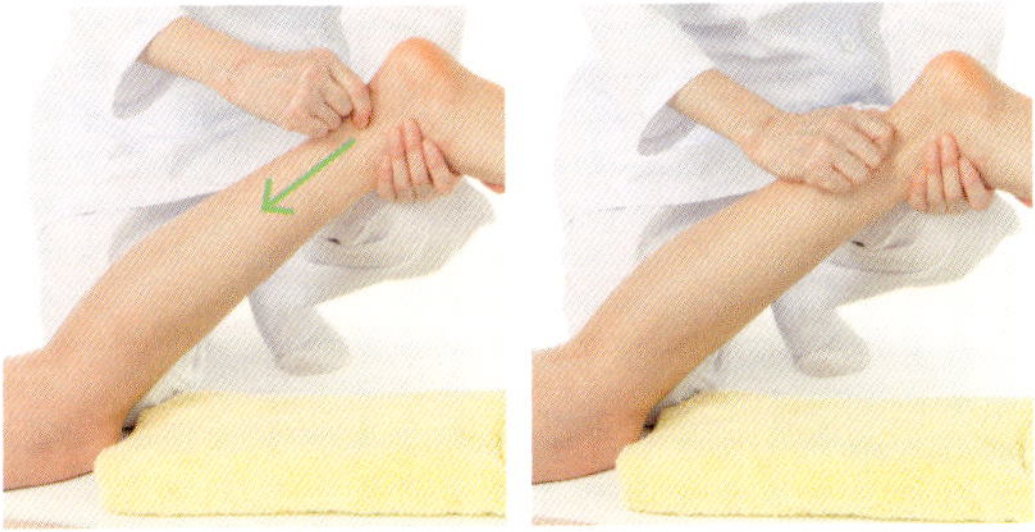

STEP 3 左足も同様に。

全国から反響続々!!

[ふくらはぎマッサージ体験者の声]

「2歳の娘の**寝つきが悪くて**手を焼いていました。ふくらはぎをさすったら、足をバタつかせていたのが**1分で静かに**なって、**2分後にはスヤスヤ**と寝息を。今は自分から足を差しだしてきますよ」(30代・会社員)

「心筋梗塞で倒れ、**心筋の半分以上は働いていない**と医者に言われて静養していました。心臓の疾患にはふくらはぎマッサージが有効と知り、1日2回、主に家庭で続けました。心電図だけでなくコレステロール値も改善して、**もうすぐ社会復帰**できそうです」(50代・会社員)

「20年以上さまざまな治療を試しても、腰痛・ひざ痛・肩こりに全く変化がありませんでした。ふくらはぎをマッサージすると、悪いところを触っていないのに、痛みもこりもきれいに改善されていったので、本当に驚きました」(50代・工芸家)

「舌ガンの手術の翌日、顔がパンパンに張っていた50代の義兄。ふくらはぎをもんだら、見事にむくみが引いたのは、感動的でした」(40代・ＯＬ)

「毎晩のように足がつったり、こむらがえりしていたのが、数回のふくらはぎマッサージで足がつらなくなり、フニャフニャしていたふくらはぎに弾力が出てきました」(60代・主婦)

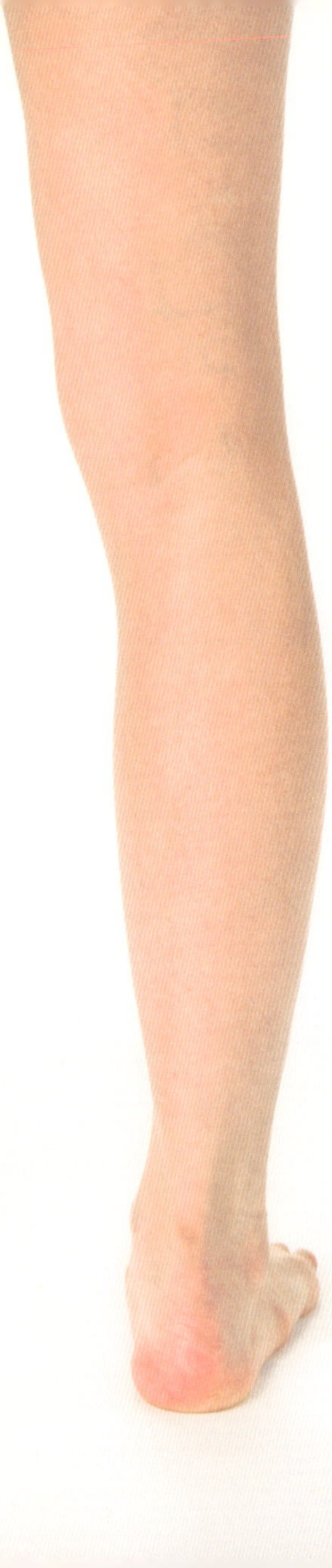

ふくらはぎをもむと
血液がサラサラ流れて、
いい気持ち。すっきり、
若く、元気になります。

PART 2

なぜ、
ふくらはぎをもむと
長生きするのか

「気持ちいい」から、あきっぽい人でも続く

ふくらはぎをまめにマッサージすると、血液の循環がよくなり、体が温まる。
その結果、体の組織が活性化して免疫力が上がり、血圧が安定する。
ぐっすり眠れて肌荒れが治り、ダイエットにも効果的。

ふくらはぎ健康法は、かんたん、安全で、効果が目に見える健康法です。

床の上、イスの上、ふとんの中、入浴中など、ふくらはぎを手で触れる状況ならいつでもできるので、気楽です。
痛い、つらい、めんどうくさいなどのストレスがなく、とても「気持ちいい」ので、一度始めたら、やみつきになってしまうほど。

そして身心が調子よくなっていくことを、体感できる。

だから、あきっぽい人も、途中で投げ出さずに続けていけます。

たった10分間のマッサージで、血圧が10下がった

もしあなたが高血圧で、家庭用血圧計をお持ちなら、すぐテストしてみましょう。


まず血圧を測ってください。

続いてPART1の「ふくらはぎマッサージのやり方」の基本部分、P30〜35までを参照し、ゆっくりと腹式呼吸をしながら、息を吐く時に指に力を入れ、吸う時に力を抜いて、両足のふくらはぎを5分ずつマッサージしてみましょう。

「ちょっと痛いけど、気持ちいい」強さを守ってくださいね。

マッサージが終わったら、水かぬるま湯をコップ1杯、2〜3分かけて少しずつ少

しずつ、かみしめるように飲んでください。

さあ、そこでもう一度、血圧を測ってみてください。

ふくらはぎ講習会でテストした時は、上が160（mmHg）以上の高血圧の方、**10人中8人の血圧が、10分のマッサージで、平均10下がっていました。**

両足のふくらはぎをたった1分間ずつもみほぐしただけでも、半分以上の方の血圧が少し下がりました。

これは血圧の例ですが、ふくらはぎマッサージを始めたとたん、**「持病の肩こりがラクになった」「夜、久しぶりにぐっすり眠れた」「起きぬけの快便に驚いた」**などの、体のよい変化を体感される方が、たくさんいらっしゃいます。

血流がよくなると、精神状態も前向きになるようです。暗い顔をして、うつむきかげんで施術をうけにいらした方が、ふくらはぎマッサージを終えたら別人のように明るく、にこやかに変身、という例を、数えきれないほど見てきました。

脳梗塞、がん、不妊…「冷えシンドローム」の恐怖

血液は、人体の60兆個もの細胞に酸素や栄養素を運び、いらなくなった老廃物を回収しています。

血がめぐらない体は冷え、衰えていきます。

血液の循環が止まることは、「死」を意味します。

私たちの毎日の生活のことを、ちょっと考えてみましょう。

ストレス。パソコンやテレビの前でじっとしている生活。

不眠や睡眠不足。無理なダイエット。冷やした飲み物や食べ物。消炎鎮痛剤、降圧剤、ステロイド、抗がん剤、向精神剤などの、多くの化学薬品。

このすべてが、血液をよどませ、体を冷やす原因になるんです。

実際、**平熱が36度に満たない低体温の日本人が、とても増えていますね。**

その結果、30～50代にも高血圧、脳梗塞、心筋梗塞、がんなどが急増し、ひと夏で4万6千人もの人が熱中症で病院にかつぎこまれています。

不妊症に悩む女性や、うつ病で通院する人も激増しています。

「冷え」のために病気と闘う免疫力が落ち、自律神経が乱れて気温の変動にも弱くなり、ホルモンのバランスもくずれているからです。

また代謝がよくないので、むくんだり肥満になりやすく、シミから認知症まで、老いも早く訪れます。

すべてが「血流障害・冷えシンドローム」と言えます。

そんな冷えた日本人を救うのが、ふくらはぎマッサージなのです。

ふくらはぎをもんだら、点滴液が落ち始めた！

ふくらはぎマッサージ療法を発見したのは、意外にも東洋医学の研究家ではなく、日本とアメリカで西洋医学の勉強をした外科医、故・石川洋一先生。

東京慈恵会医科大学を卒業し、アメリカの病院でメスをふるい、エールフランス航空の社医などもつとめた国際派です。

きっかけは１９７９年にさかのぼります。

体が弱って脱水症状を起こし、容体が悪化していた患者さんの腕から、先生自身が点滴を投与していた時のこと。

一刻も早く、失われた水分や電解質を補給しなければならないのに、その患者さんは、なかなか点滴液がスムーズに落ちていきませんでした。

そこで体の向きを変えてみようとした時、**患者さんの腕には温もりがあるのに、足全体が妙にひんやりしていることに気づいたそうです。**

顔色もまっ青なので、無意識のうちに足をさすり始めると、意外にも点滴液がほんの少しずつ、落ち始めました。

そこで先生は、意識して太ももとひざを手のひらでもんでみました。ふくらはぎが特に冷たく、こわばってかたいので、重点的にマッサージ。

すると、患者さんの顔に赤みがさし、点滴もスピードアップして規則正しく体内に送りこまれていくようになったそうです。

マッサージをしたのはふくらはぎなのに、腕の点滴液がスムーズに落ち始めて、顔色までよくなったということは、全身の血行が改善されたということ。

初めに点滴液が入らなかったのは、おそらく血液の流れが悪かったから。血液の循環をスムーズにすることは、体を維持する上でとても重要だから、ふくらはぎマッサージは病気の克服や健康増進の、大きな助けになるのではないか。

そう考えた石川先生は、他の多くの患者さんにもふくらはぎマッサージを試し、血流アップ効果を確信しました。メスを置き、以来30年近く、「ふくらはぎマッサージ療法」「家庭でできるふくらはぎ健康法」の普及に情熱を注ぎました。

下半身には血液の70%が集中している

ふくらはぎは、すねの裏側のふっくらした部分。

腓腹《ひふく》筋、ヒラメ筋など、足や足指を動かすための筋肉が、逆さのハートの形に集まっています。

この筋肉が活発に収縮し、下半身に降りてくる血液をたゆまず上に押し上げて、心臓に戻す上方向へのポンプとして働いています。

「第2の心臓」「上半身の血流は心臓が、下半身の血流はふくらはぎが担う」と言われるほど重要な筋肉器官です。

ふくらはぎを備えているのは人間だけ。犬にもネコにもサルにも、ふくらはぎはありません。

なぜなら犬もネコもサルも、4本足で歩き続けているから。

私たち人間だけが、よつんばいから立ち上がって、2本足で歩き始め、視野が広がり、両手を自由に使えるようになって、文明を発達させることができました。

問題は、引力の法則で下へ降りる血液を、重力に逆らってどうやって心臓に戻すか。

心臓から出た血液は全身に行き渡り、静脈を通って戻ってきます。

しかし心臓には、血液を回収する力まではありません。

下半身には、常に全身の70％の血液が集まっています。これがどんどんたまっていったら、人間は生きていけません。

それでひざ下の筋肉がポンプのように動くことで、血液を心臓に戻す仕組みが生まれたんです。

乳しぼりアクションで血液がめぐる

歩く時のふくらはぎの筋肉を観察すると、膨らんだり細くなったりしています。

ふくらはぎの中を走っている動脈の周囲の筋肉が、キュッキュッと縮んだり、ゆるんだり、まるで乳牛の乳しぼりのような動き（ミルキングアクション）をすることで、血液を心臓に戻して循環させています。歩くと特に活性化します。

静脈内には、約5㎝おきに、血液の逆流を防ぐための弁がついているので、力強い「押し上げ力」が必要なんです。

縁の下ならぬ、ひざの下の力持ちが、ふくらはぎ、というわけです。

加齢、運動不足、運動のしすぎ、過労、ストレス、病気やケガ……。

さまざまな理由で、ふくらはぎの筋肉のポンプ作用が衰えると、血液がよどみ、体が冷え、老廃物が血管の中にたまりやすくなります。

「熱くてかたい」と高血圧!?

第2の心臓、ふくらはぎは、外から状態を確かめたり、直接触ることができます。まるでセルフドクターのように、体の不調を知らせ、つらさや痛みをやわらげてくれます。

前述したように、**健康な人のふくらはぎは、ゴムまりのように弾力があり、ほんのりと温かく、つきたてのおもちのようにやわらかです。**

ところが、たとえば腎臓が弱っていると、ふくらはぎは弾力を失って薄い革袋のようにグニャグニャになりやすい。

血圧が高いと、硬くふくらんで、熱っぽくなりがちです。

腰痛・肩こり・頭痛や糖尿病の持病がある人、悩みやストレスのある人の多くは、ふくらはぎがパンパンに張っていたり、奥に芯のようなしこりがあって、ちょっと押してもすごく痛がります。

ふくらはぎがむくみやすい人は、血液の流れが悪く、血栓（小さな血のかたまり）ができやすい体質。血栓が血管に詰まると、まさに栓をしたように、そこから先に血液が流れなくなり、最悪の場合は突然死の悲劇につながってしまいます。

脳梗塞や、エコノミークラス症候群にならないよう、ふくらはぎマッサージを習慣にしましょう。**水分は血液をサラサラにする基本ですから、たっぷり摂ってください。**

ふくらはぎが知らせる、5つの不調

①熱くてかたい→高血圧
②熱くてかたくない→急性炎症、かぜなど
③冷たくてかたい→冷え性、婦人病、自律神経失調症
④冷たくてやわらかい→糖尿病
⑤冷たくてやわらかく、弾力がない→腎臓病

こむらがえりは不健康の証拠

突然ふくらはぎや足の裏がつってひどく痛む「こむらがえり」を、経験されたことのある人も多いと思います。このこむらがえりも、体の不調を教えてくれます。

こむらは、平安時代以来のふくらはぎの呼び名。肉のかたまりを「ししむら」と呼んでいたので、「小さい肉のかたまり=こむら」に由来するようです。

当時の漢和辞典にはすでに、「転筋　コムラガヘリ」と記されています。あの痛みは、まさに筋肉がひっくり返る感じで、絶妙のネーミング。

のどかな「鳴くよウグイス…」時代にも、先人は私たちと同じように「イタタタッ」と身もだえしていたんですね。

こむらがえりの原因は、解明されていない部分も多いのですが「体が疲れきって筋肉に乳酸がたまっている」「急な激しい運動」「ストレスが多すぎる」「水分・ミネラル・ビタミン不足」「アルコールの飲みすぎ」なども一因とされます。

こむらがえりがおきたら、無理をしていないか、不摂生が続いていないか、わが身をふり返ってみましょう。

糖尿病や動脈硬化、椎間板ヘルニア、肝硬変、静脈瘤などの病気や、心臓病や高血圧の治療薬の副作用からおこるこむらがえりもあるので、ひんぱんにおきて痛みがひどい場合は、内科や整形外科で診てもらいましょう。

こむらがえりへの対処法は、ＰＡＲＴ12のＱ＆Ａでも詳しく解説しています。

「きんさん」が、ふくらはぎの力で認知症を克服

病気を知らせるだけでなく、「癒してくれる」ふくらはぎパワーにも、いつも驚かされます。

腰痛・ひざ痛・肩こりに何十年も苦しんできた患者さんは、1回目のふくらはぎマッサージで早くも「ラクになった」とニコニコ。週3回、2ヵ月の通院で症状が驚くほど解消しました。

極端な冷え性で、足はむくんでパンパンだった美容師の方。家でもまめにふくらは

ぎマッサージを続けたら、半月で基礎体温が1度アップ。**足だけでなく顔のむくみもとれて、便秘も解消したとのことで、別人のようにすっきりし、お肌もつやつやに変身されました。**

体がだるくて食欲も落ち、病院で「腫瘍マーカーの値が高め。すい臓がんの疑いがある」と言われた患者さん。身心健康堂に週3回通いながら、家でもふくらはぎをせっせともみほぐし続けたら、**顔色がどんどんよくなって、2ヵ月で腫瘍マーカーの値が少し下がりました。**

そうそう、107歳で亡くなったアイドル双子姉妹の「きんさん」は、テレビで脚光を浴びる前、90代の時に、「あいうえおがうまく言えない」「1から10までもうまく数えられない」時期があったそうです。

心配したご家族が手を尽くして調べてたどりついたのが、**「ふくらはぎエクササイズで血流をよくして、認知症を予防する」治療法。**

それから毎日たゆまずふくらはぎを刺激し、認知症を乗り越えて超長寿を全うされた、というエピソードが、かつて新聞に載りました。

ふくらはぎエクササイズを始めてから、性格も見違えるほど前向き、意欲的に変身されたそうです。

人間は、その気になれば、90歳からでも、どんどん若くなれるんです。

今でも忘れられないあのツヤツヤしたお肌と「ワッハッハッ」という元気な笑い声の陰に、ふくらはぎパワーがあったのですね。

腹式呼吸と笑いでパワーアップ

ふくらはぎマッサージは、腹式呼吸をしながら行います。

腹式呼吸は、横隔膜を使っておなかを動かす呼吸法。

「息を吸う時に、ゆっくりおなかをふくらませながら吸い込み、吐く時におなかをへこませながら吐いていく」のがコツです。

息を吐く時に手のひらに力を入れたり、指で押すようにすると、ふくらはぎの奥深くまで、しっかり力が届きやすくなります。

腹式呼吸をすると、気持ちがゆったり落ち着いてくるのを感じられると思います。医学的に言うと、自律神経の中の、リラックスにかかわる「副交感神経」が優位になった状態です。

イライラしている時や目標に向かってがんばっている時には、体温を下げる、緊張系の「交感神経」が優位になります。

現代の生活は、交感神経の出番が多くなりがちで、これも体が冷える原因です。

笑いも大事です。たとえ落ちこんでウツウツしていても、ふくらはぎと向かい合う時は、形だけでも口の両端を上げて、スマイルしてください。

笑顔をつくると、脳は顔の筋肉の動きから「気持ちいい状態」だというメッセージ

を受け取って、リラックス脳波のアルファ波が現われ、ハッピーホルモンと言われるセロトニンを分泌します。セロトニンは精神安定に働き、心を前向きにする脳内物質。
笑う門には、心にも体にも、健康が訪れます。

PART 3

ふくらはぎマッサージで
医者と薬を遠ざけた！ 体験談

30代／女性／美容師

冷えとりマッサージで足腰ポカポカ、お通じドカン！

子どものころから寒がりでしもやけができやすく、ずっと「冷え」に悩まされてきました。

いま勤めている美容院は、冬も夏もエアコンの設定温度が低め。一年中、膝から下が氷のように冷たく、30歳をすぎてからはひざの痛みまで加わって、このままおばあさんになっていくのかと、落ち込んでいました。

便秘もひどく、3～4日出ないのは当たり前。

「この冷えと便秘をなんとかしたい」と知人に相談したら、身心健康堂のふくらはぎマッサージのことを教えてくれました。

ホームページに「全身の血液循環が改善される」と書いてあり、ひざの痛みが引いた人の例が載っていて、ハッとしました。

自分の冷えや便秘も、血のめぐりが悪いからおきているのかも。

身心健康堂を訪ねて、槙先生にふくらはぎを念入りにマッサージしてもらいました。「あった、あった。ここ痛いでしょう」と言われたのは、奥のほうのかたい筋肉のかたまり。本当に、ギョエ〜と叫びたくなる痛さでした。

「冷えの正体はこれですよ。ハイ息をゆっくり口から吐いて、吐ききったら鼻で吸って、腹式呼吸をしてください」

言われる通りに**腹式呼吸をしてみると、息を吐くときに、槙先生の指がズズズっと「かたまり」を押すのを感じるのだけど、痛みはさほどでもありません。**ゆっくり深い呼吸をすると、体がリラックスして筋肉がゆるむのでしょうか。

呼吸って大事だなと思いました。

槙先生に「私も少し前に冷えがきつくなったから、1時間以上かけてふくらはぎと格闘しました。奥の筋肉のかたまりをしっかりほぐすつもりで3日続けたら、3日目にポカポカしてきたんですよ」と教わりました。

必死でやったら本当に、3日目のマッサージ中に足がポカポカしてきました。

翌朝は何年かぶりに、起きぬけのお通じがあってうれし泣き。

その後は自分でも、起きぬけ、仕事の合間、テレビを見ながら、お風呂で、寝る前と、ひまさえあればふくらはぎをもんだり、つまんだり、たたいたりするのが、習慣になりました。もちろん腹式呼吸をしながら、です。

足腰ポカポカ、お通じドカンの快感を一度味わうと、この習慣は手放せません。ひざの痛みもいつのまにか消えていました。

冷え性のひどい女性に特におすすめしたい健康法です。

これも槙先生の受け売りですが、ぬるま湯をしょっちゅう、少しずつ飲むようにすると、むくみにも便秘にも肌荒れにも、効果絶大ですよ。

30代／男性／会社員

2歳の「眠らない娘」が2分でスヤスヤ

2歳の娘が、夜になると目がランランとしてくるんです。妻がいくら抱っこしても、子守唄を歌ってもダメで、寝かしつけるまで軽く2時間はかかっていました。

テレビでふくらはぎマッサージのことを知って検索したら、小さい子でも、やさしくさすれば大丈夫と書いてあったので、さっそく試しました。

うつぶせに寝かせて、ふくらはぎをそっとさすってやったら、初回にいきなり大成功。足をバタつかせていたのが1分で静かになって、2分後にはスヤスヤと寝息をたて始めたんです。

今はうつぶせにすると、自分から足を差しだしてきますよ。

知り合いの小5の息子さんもやっぱり夜型で、12時過ぎても寝ない日がしょっちゅうだと言うので教えたら、うちの娘と全く一緒。**おかあさんがふくらはぎをさすり始めると、1〜2分でまぶたが重くなって、苦もなく熟睡**、だそうです。スキンシップのせいか、性格まで穏やかになったようです。

この安眠法が世の中にひろがったら、不眠に悩む人が半減しそうですね。

40代／男性／薬剤師

風呂上がりのマッサージで血圧が15下がって、1ヵ月でめまい解消

血圧が高くて頭がいつも重く、肩や腰をはじめあちこちがこって痛んだり、頭がボーッとして、本当につらい状態が続いていました。

仕事が薬剤師なので、**薬の副作用のこわさや、降圧剤で血圧は下がっても体調がさらに悪化する例などを、いろいろ見聞きしています。**

なので、**なんとか薬に頼らずに改善したいと思っていました。**

ふくらはぎマッサージのことを知ったのは、血圧の上が180を超え、めまいがひどくなって落ち込んでいた時のこと。

新聞で、ふくらはぎをもみほぐすと体のさまざまな不調が改善することを知り、紹介されているマッサージをやってみました。

しかしその時は、ジョギングをした後、ふくらはぎがすごく疲れてカチカチにこわばって、こむらがえりをしょっちゅう起こしていたので、血圧ではなく「ふくらはぎの疲れを解消しよう」というのが目的でした。

ところが、風呂上がりにふくらはぎをていねいにマッサージしてみたら、体全体がすごくラクになったんです。血圧計で計ってみると、風呂に入る前より15も下がっていてびっくり。リラックスするのもいいのかもしれません。

自分はめんどうくさがりなんですが、こればかりは1日20～30分ぐらいかけて、かなり熱心に毎日続けました。というより、ふくらはぎマッサージの気持ちよさと、終えた後の爽快感を覚えたら、やめろと言われてもやめられません。

1ヵ月で、血圧は高くても150台にまで下がりました。どんどん正常値に近づいている実感があって、めまいがほぼ消えました。肩や腰の痛みも、重かった荷物が少しずつとれるようにラクになっています。

本当に「ふくらはぎは第2の心臓」ですね。血圧の高い人は、ぜひトライしてみてください。

50代/女性/主婦

原因不明の腰、背中、左半身の激痛が、初めて改善

私は大学時代から、腰痛と背中の痛みに悩まされ、針、整体、カイロプラクティックなど、あらゆる治療法を試しました。

しかし、小学生の時に事故で背中を強打したせいもあるのでしょうか、はかばかしい効果はありませんでした。

そうこうするうちに、両ひざと左半身の首から足にかけて、ひどい痛みが走るようになったのですが、病院では「原因不明」と言われました。

そんな折、知人が槙先生を紹介してくれました。

足のむくみもひどく、いつもパンパンに張っていることを伝えたら、さっそく、ふ

くらはぎマッサージをやって下さいました。

最初はいくら強く押されても、何も感じませんでしたが、何回か続けると、押された時に痛みを感じるようになり、**あれほどつらかった両足の痛みや重たさが、少しずつとれていきました。**

治療を終えた後の足取りの軽さは、本当にうれしかったです。

その後は自分で毎日15分程度、ふくらはぎマッサージを続けました。肩、背中、腰のすべての痛みが、歩調を合わせるように、少しずつ少しずつ軽くなって、こんなにも効果があるものなのかと驚いています。

●本書へのご意見・ご感想をお聞かせください。

ご協力ありがとうございました。

郵便はがき

105-0002

50円切手を
お貼りください

（受取人）
東京都港区愛宕1-1-11
（株）アスコム

長生きしたけりゃ
ふくらはぎをもみなさい

読者　係

本書をお買いあげ頂き、誠にありがとうございました。お手数ですが、今後の出版の参考のため各項目にご記入のうえ、弊社までご返送ください。

お名前	男・女	才
ご住所　〒		
Tel	E-mail	
今後、著者や新刊に関する情報、新企画へのアンケート、セミナーのご案内などを郵送またはeメールにて送付させていただいてもよろしいでしょうか？　□はい　□いいえ		

返送いただいた方の中から**抽選で5名**の方に
図書カード5000円分をプレゼントさせていただきます。

当選の発表はプレゼント商品の発送をもって代えさせていただきます。
※ご記入いただいた個人情報はプレゼントの発送以外に利用することはありません。
※本書へのご意見・ご感想に関しては、本書の広告などに文面を掲載させていただく場合がございます。

20代／女性／OL

プチ整形並み!? 3週間で肌荒れが解消して小顔に

まだ20代なのに、バリバリの乾燥肌で湿疹や吹き出ものも出やすく、顔はむくんで大顔で、いったい何重苦なの、という感じでした。

テレビでふくらはぎマッサージを見て、自分でも半身浴をしながら、ひたすらふくらはぎと向き合いました。

半身浴の時は、ペットボトルにぬるま湯を入れてしょっちゅう飲むようにしました。飲むというより、口に少しずつ含んで、体をうるおすつもりで、しみわたらせていくといいようです。

あんなにボロボロだった肌が、1日1日、目に見えてきれいになり、**3週間で「肌がきれい。カレシできた？」と職場で言われるようになりました。**

顔のむくみもとれて、顔がひとまわり小さくなりました。

顔を全くいじらないで、プチ整形並み？　の効き目。ちょっと信じられないような、ミラクルな美容法ですよね。

体調も気分もいいせいか、笑ったり歌ったりしている時間が増えて、性格まで明るくなった気がします。

60代／女性／主婦

10年来の頚椎症のこりがふくらはぎマッサージで解消

私はこの10年来、上り坂を上ると動悸・息切れがし、また頚椎症のため、首、肩、背中がとてもこっていました。

さらに、ふだんから疲れやすく、じっとりした汗（自汗）もよくかいていました。近所に開院した身心健康堂に行ってみると、「じっとり汗ばむのは、心臓に負担がかかって、体力が落ちているからでしょう。根本的な病因は冷え性にありますから、ふくらはぎマッサージで全身の血行をよくして、心臓の負担を軽くしていきましょう。また、自宅で自分でもできるように指導します」と言われました。

2回目のふくらはぎマッサージ治療が終わった翌日、それまで胸にあった息苦しさがなくなっていて、びっくりしました。

1ヵ月の間に5回ほど治療に通った段階で、じっとりした汗はかなり少なくなり、足の冷えもなくなりました。またそれまで、**2〜3日に1回しかなかったお通じが毎**

日になり、便秘も改善されました。

今年の夏休みは、かんたんな事務のアルバイトもしました。これまでの私は、仕事が終わると疲れてしまい、動けなくなるのではと心配になるほどでした。が、ふくらはぎマッサージ治療のおかげか、冷房のきいた部屋での仕事でも、疲れを翌日に残さなくてすみ、本当に元気で過ごせました。

結局11日間、休みなく仕事に通うことができ、とても自信がつきました。

また坂道での動悸も全くなくなり、肩こりもラクになりました。

それと、家でも毎日、ふくらはぎマッサージをしていたからでしょうか。**主人や友達から、「足が細くなったね」と言われ、うれしくなりました。**

これからも健康維持のため、ふくらはぎマッサージを続けようと思います。

60代/男性/会社役員

心筋70%「壊死」から社会復帰へ。コレステロール値も下がった

春先に、急に立ち上がるのもつらくなって、あわてて病院へ行くと「即入院」と言われました。

心筋梗塞を起こしており、冠状動脈の詰まり、心筋の壊死があると診断されました。心筋の70%は働いていないということで、大変ショックを受けました。

それから、降圧剤・利尿剤・血栓防止剤などを服用するようになりました。

後で考えてみたら、昨年の暮れに胸に激痛が走ったことがあり、その時に心不全を起こしていたのだと思います。

1ヵ月ほどして退院しましたが、それ以来、足などの体の末端が冷えやすく「夜中に目が覚める」などの苦痛があります。

今は月1回病院の診察と、2〜3ヵ月に1回、心電図や血液検査などを受け、家で療養しています。6月に検査を受けた時、心電図に異常はなかったのですが、コレステロール値が高いと言われました。

そして今年の7月、初めてふくらはぎマッサージを知りました。

最初の診断で「脈が少し弱いですが、思ったより体の状態はよさそうですよ」と言われ、「心臓の疾患に効果のあるふくらはぎマッサージ療法を試してみては？」とすすめられました。

ふくらはぎマッサージは、自宅でも1日2回自分でやるようにしました。そして病院で、最近受けた検査の結果を見たら、状態は落ち着いていて、**コレステロール値が下がっている**ということでした。

ふくらはぎマッサージの効果だろうと、非常にうれしくなりました。

これからはお医者さんと相談しながら、少しずつ薬を減らしていこうと思います。

今も薬の影響か、夜中に目が覚めてしまうのですが、ふくらはぎマッサージをすると、その後の寝つきがよいように思います。ふくらはぎマッサージの力を借りて体を治しながら、社会復帰をめざしてがんばります。

PART 4

これで体温アップ！
「冷え性」解消の極意

ふくらはぎ発電所!? 体の中からポカポカ

家でも外出先でも、エアコンがあるのが当たり前。

よく冷えたミネラルウォーターやビールを、年中がぶ飲み。

真冬にも夏野菜のきゅうりや、南のバナナや、アイスクリームをふつうに食べる。

どこに行くのも車で、あまり歩かない。


私たちの快適な生活には、体を冷やし、衰えさせるワナがいっぱい。

便利さと引き換えに、**日本人の体は年齢を問わず基本的に冷えやすく、体温が乱高下しやすく、気温の変化についていけなくなっています。**

それに加えてストレスや睡眠不足も、体を緊張させる自律神経「交感神経」を刺激して、さらに血流がとどこおって体が冷えます。

ダイエットや粗食志向で栄養がかたよることも、冷えの原因に。

最近は大人だけでなく、小学生を対象にしたさまざまな調査でも「体温異常」が確認されています。

一例をあげると、朝の登校時に35度台しかない低体温の子がおよそ3割、午後の下校時には逆に37度を軽く超える子が続出、といった具合に。

夏には、体育や部活の最中に熱射病などで倒れたというニュースも多いですね。

わが子も自分も、わきの下の平熱が36度以上あるし、足も手も冷えていないから、大丈夫と思っていませんか？

でも**「自覚のない冷え性」**もあるんです。

たとえば「冷えのぼせ」と呼ばれるタイプ。

頭によくカーッと血がのぼって、頬が赤い人。肝心の心臓や脳への血流が不安定で胃腸にも負担をかけている、ということもあります。

足がむくみやすい。ふくらはぎが手のひらより冷たい。おへその下がひんやりしている。下腹部に不快感がある。のどや胃腸になにか詰まっているような気がする。肩や首筋がひどくこる。夜中や明け方に胸や胃のあたりが痛む。

そんな不調があったら、平熱に関係なく、血液のめぐりが悪く内臓が冷えているのではないか、と警戒してください。

ちなみに、寝冷えをすると下痢しやすいことでもわかるように、内臓の冷えは一般的に、下腹から始まり、胃のほうへ広がって行きます。

ふくらはぎマッサージは、やっかいな冷えの改善に、大きな効果を発揮します。

入浴やふくらはぎサポーターにも血流アップ効果はありますが、ふくらはぎマッサージは体の中からの「自家発電」。パワーと持続性が違います。

気温が乱高下すると突然死が続出する

日本中が記録的な猛暑に見舞われた2010年夏。6月から8月に、熱中症で病院にかつぎこまれた人は全国で4万人以上。亡くなった人も約500人に達しました。

「暑すぎる夏」は、今後も多くなると予測されています。

一方で、秋がきたとたん前日より10度も気温が下がったり、時ならぬ大雪に見舞われたり、「気温乱高下」時代に突入しています。夏が暑い分、冬は寒い！

エアコンに慣れきった日本人にとって、これは大変な危機です。

内臓、とりわけ心臓、肝臓、脳などの臓器の温度が一定以上に上がったり下がったりすると、命が危くなるので、体はなんとしても中心部の体温をキープしようと、緊

急システムを発動します。

たとえば、暑いと汗が吹き出し、蒸発する時に気化熱で体温が下がるようになっています。ところが、暑くても汗が出にくくて、体温が体にこもってしまう日本人が年齢を問わず急増しています。気温の変化についていけないんです。

体温が40度以上になると細胞が壊れはじめ、体のさまざまな機能が狂ってきます。体温42度以上の状態が数分続くと、人間の体を構成するたんぱく質が、生卵がゆで卵になるように変性し、元に戻らなくなります。

体温計が42度までしかないのは、それ以上は「死」を意味するからです。

熱中症は、熱が体内にこもって内臓の温度が40度にまで上がり、そのまま熱失神、熱けいれん、熱射病などを引き起こして、倒れたり、亡くなる症状。

強めの冷房に慣れきっている人は、猛暑の中を10分程度歩いただけでも、身体がほてり、だるさを感じ、脈打つような激しい頭痛に襲われて、時に意識を失ってしまいます。

そのまま死に至ることもあります。

人間の体は、とてももろいんです。

内臓の「冷え」は下腹から

熱中症のおおもとには「冷え」があります。

ふだん冷えているから、気温の変化にあっけなくギブアップしてしまう。


先ほど暑さと発汗の話をしましたが、逆に寒い戸外に急に出ると、鳥肌が立って体がガタガタ震えますね。

これは皮膚の血管を収縮させて熱をなるべく外へ逃がさないようにし、筋肉を小刻みに震わせることによって、体の中に熱を作り出す、体の働き。

体温の保持に必要な熱は、7割近くが筋肉の収縮によって生まれ、残りの3割弱が肝臓や腎臓などからフォローされます。

冷えの一因は「筋肉が衰えていて、よく収縮しない」こと。エアコン空間でじっとしている時間が長い日本人は、体が冷える一方なんです。

冷えにも、いろいろなタイプがあります。

［冷えのタイプ］

1 気虚タイプ

気力・体力の乏しい状態を、東洋医学で「気虚《ききょ》」と呼びます。表に現われる特徴としては、やせ型で顔色が青白い、疲れやすい、貧血ぎみ、胃下垂ぎみ……。体質的に冷えやすいタイプですね。

栄養不足や寝不足が重なるとますます冷えてしまうので、バランスよく食べて、たっぷり睡眠をとって、疲れをためないようにしましょう。

2 クヨクヨタイプ

ああでもない、こうでもないと考えが堂々めぐりしたり、しょっちゅう落ち込んだり、不安にさいなまれたり。いつも気が休まらないと、体＝血管も緊張し続けて、血流がとどこおります。

めまい、のどが詰まった感じ、息がうまくできない、頭が重い、肩こり、背中や胸や腰の痛み、おなかが張る…などの症状になって現われます。

お風呂や散歩など、リラックスできて血液がめぐりだす時間をまめに作りましょう。

3 冷えのぼせタイプ

すぐカーッとして顔がほてったり、逆にサーっと血の気が引いたり、気持ちのアップダウンが激しい人は、自律神経やホルモンも乱れがちで、顔色はいいのに心臓や脳に負担がかかる「冷えのぼせ」状態になりやすいんです。

イライラ、カリカリしやすい人は、ストレッチなどの軽い運動を心がけてください。

4 乾燥タイプ

東洋医学で「血虚《けっきょ》」と呼ばれるタイプで、血液が足りなくて細胞に栄養が行きわたらず、鉄も不足して出る症状。特に女性は、月経中が要注意です。顔色が悪い、肌や唇のかさつき、爪が割れる、抜け毛、ささくれ、集中力に欠けるなどの症状が現われます。

鉄分の多い食べ物を摂り、無理をしないで睡眠をたっぷりとりましょう。

5 むくみタイプ

血液、リンパ液などの体液の流れがとどこおりやすく「水はけ」のよくない体質。むくみ、頭痛、腰痛、下痢、立ちくらみ、頻尿、尿が出にくいなどの症状が出ます。クーラーを使う時は高めに温度を設定し、冷たい飲み物や塩分をとりすぎないこと。半身浴、散歩などで気持ちよく汗をかき、常温の水やぬるま湯をたっぷり飲んでください。

最近、特に冷え性がひどくなってきたような気がしたり、冷え性対策をしているのに改善されなかったりする人は、早めに病院で検査を受けてください。

冷えは、栄養失調や糖尿病、心臓病、心不全、腎炎、卵巣機能障害などの病気からも引き起こされるからです。

足先が冷えきっていたら、足先より、まずふくらはぎを温かいタオルなどで温めながら、マッサージしてください。温かい血液が最も効率よく全身に送り出され、足先もポカポカします。

体が冷えてつらい思いをしている人は、**「ふくらはぎを、できるだけ深くまで、しっかりていねいにもみほぐす」**ことを心がけてみてくださいね。

冷え克服マッサージの極意

実は私自身も、冷え体質。

忙しさにかまけて、自分自身のふくらはぎマッサージをおこたっていたら、特に足首のあたりが冷えきってきました。

ある日曜日、意を決して、自分のふくらはぎと向き合いました。

じっくり触ってみると、奥のほうにコリコリした筋肉のかたまりがあります。「これが冷えの元凶だ」と狙いを定めて、左右1時間ずつ、合計2時間かけて、ググッと奥まで押し続けました。あまり強く押すと組織細胞がいたむので、**「ちょっと痛いけど気持ちいい」**強さを保って。

私の冷え性は頑固なので、一筋縄ではいきません。

初日2時間、2日目1時間かけてもさほどの効果を感じられなかったのですが、3日目に左足を15分ぐらいマッサージした時、一気に雪が解けはじめたように、足の先がポカポカしてきて、思わず「やった〜!」と叫びました。

それからは毎日、左右5分ずつ、合計10分、気合いを入れてしっかりもみほぐしていれば、足が冷えなくなりました。

冷え性がそれほどひどくない方は、初日からポカポカ効果を体感できると思います。発電所みたいなふくらはぎの力を、ぜひ体感してください。

冷えを遠ざける心がけ

体に不調があったら、医療機関で治療を受けることが大切なのは、言うまでもありません。

しかし、注射や薬は症状を一時的に抑えても、体そのものを健康にするわけではありません。血液がよどんで冷えていたら、不調は次から次におこります。

高血圧、動脈硬化、心臓病、糖尿病などの慢性病。
がん。
かぜ、インフルエンザ、O157などの感染症。
アトピー、花粉症、ぜんそくなどのアレルギー症。
うつ、不眠症、更年期障害などの、自律神経やホルモンの失調症。
むくみや肥満、シミや肌のかさつき。

こういったすべての病気に、血流障害と冷えがかかわっています。

そして、ふくらはぎマッサージに加えて、毎日の生活習慣にちょっと気を配ることで、冷えをさらに遠ざけることができます。

たとえば、**呼吸を深くして、姿勢を正すこと。**

ストレスが多くて忙しい社会では、どうしても呼吸が浅くなりがちです。**「吐く時に、息を充分に吐ききる」**ことに意識を集中して、できるだけ腹式呼吸を心がけると、自律神経をととのえる効果が高いようです。

自律神経は、体内の機能をスムーズに働かせる神経。これをととのえると、血液循環や体温調節が順調になり、冷え性改善にも有効と言えます。

姿勢も大事。気を抜くと猫背になっていませんか?

体がゆがんでいると、血液があちこちでとどこおり、やがて内臓機能や筋力も低下するので、冷え性につながってしまいます。

背中が曲がっているだけで「やる気がなさそう」「暗い感じ」「老けて見える」などのマイナスな印象を相手に与えてしまうのも損ですね。

立ったり歩いたりする時はもちろんのこと、電車の中やオフィスで座っている時なども、きちんと背筋を伸ばすようにしましょう。

腹筋に意識を集中して、上体を引き上げるようにし、肩甲骨も同時に引き寄せられたらパーフェクト。この時、肩を下のほうへ押し付けるようにすると、体のラインが美しく見えます。

それから、**みんななにげなくやっている「足を組む」という姿勢もできるだけ避けてください。**

足は血液の流れがとどこおりやすいので、足を組むと、むくみの原因になってしまいます。つい組んでしまったら、上にきた足を上下に動かして、ＰＡＲＴ１のＰ23でご紹介した、「手を使わずマッサージ」をおすすめします。

つま先立ちと階段の上り下りで、ふくらはぎポンプが活性化

PART12のQ&Aで詳しく触れていますが、つま先立ち、つま先立ち歩き、階段の上り下りは、ふくらはぎポンプを活性化します。

足首の筋肉をよく伸縮させると、ふくらはぎの筋肉にもダイレクトにその刺激が伝わって、血液を送り出すミルキングアクションを活発にするからです。

お茶碗を洗う時はなるべくつま先立ちになる。階段を下りるだけでも足首は伸縮するので**「せめて下りはエレベーターを使わない」**と決めるなど、無理せず続けられるルールを工夫してくださいね。

日々のちょっとした気づかいが、冷え性を遠ざけます。

運動する時間がないからと言って、あきらめないでください。

PART 5

がんを遠ざける!
「免疫力アップ」の極意

血液がめぐれば、免疫力が上がる

体温が上がると免疫力が高まる、と言われるのはなぜでしょう。

体温、血流、免疫力が、切っても切れない関係にあるからです。

私たちの体の中には、「異常なもの」「体の毒になるもの」を排除しようとする力が備わっています。

それが「免疫力」です。

免疫力は、がん細胞や、かぜやインフルエンザなどのウイルスに対しても働きます。

前述のように、血液は私たちの体を構成する約60兆個もの細胞に、栄養と酸素を送り届け、かわりに老廃物を持ち帰る働きをしています。

血液の中には白血球があって、体の中をめぐりながらウイルスなどの異物をパトロールしてくれています。

血流が悪くなると、体内の異物をたたいてくれる白血球を集めにくくなり、ウイルスや細菌がのさばって、感染症やがんを含めた万病を引き寄せてしまいます。

反対に、血流が改善して体が温まると、腸も温まって働きがよくなります。

「免疫は腸から」と言われ、人間の免疫のなんと80%は、腸の免疫力に依存しているからです。

アイスクリームを食べ過ぎたり、寝冷えをすると、おなかをこわしたり、風邪をひきやすくなりますね。これは腸が冷えると、免疫力がガクッと落ちてしまうから。インフルエンザやO157なども含めた感染症は、免疫力の低下が大きな引き金になっておこります。

体温が上がれば腸の機能が高まり、免疫力も活気づくわけです。

ほとんどの病気で発熱するのは、「白血球の働きを高めて病気を治そう」とする、自然治癒力の表れという考え方もできます。

日頃から体を温める工夫をしておくことで、万病を防げる。

最も効果的に体温を温められる「自家発電所」が、ふくらはぎなんです。

がん細胞をやっつけるNK細胞の殺傷力

いきいき長く生きるには、体温を上げて、私たちの身体に備わっている免疫力を鍛えること。

なかでも、**がん細胞やウイルスをいち早く見つけて殺してくれるNK（ナチュラルキラー）細胞は、体の守り神です。**

どんなに風邪やインフルエンザがはやっても、いつもケロリとしている人がいる一方、しょっちゅう熱を出して、なかなか治らない人がいますね。

その違いは、**「ＮＫ細胞が元気かどうか」**に大きく左右されるんです。

血液の中に入って体内を駆け回っている白血球には、大きく分けて、細菌などのサイズの大きな異物を食べる「顆粒球」と、細菌より小さいがん細胞やウイルスなどにくっついて処理する「リンパ球」があります。


ＮＫ細胞はリンパ球に属しています。

ナチュラルキラーという名の通り、すごい殺傷力を持つ生まれついての殺し屋。常に体内をパトロールし、がん細胞やウイルス感染細胞を見つけると「即殺」します。

実は私たちの体には、がん細胞が毎日3千〜5千個も生まれていると言われます。

でも、ＮＫ細胞が元気なら、片っぱしから殺してくれるので増殖しません。

逆に**ＮＫ細胞の働きが衰えると、がんはみるみる増殖する、かぜやインフルエンザにはすぐ感染して悪化する**…と、無政府状態になってしまいます。

健康な人の白血球は、ほぼ顆粒球60%、リンパ球40%のバランスが保たれています。

ところが、体が冷えたり、強いストレスや過労、不眠などが続いたり、鎮痛剤などの薬に頼る生活が続く、あるいは体をよく動かさなかったり、笑わない毎日が続くと、顆粒球の割合が上昇します。

すると、細菌を殺す酸化力が強く出すぎて、臓器や血管などを痛め、動脈硬化やがんの引き金になってしまいます。さらにリンパ球が少なくなるので、NK細胞の働きも鈍り、体は「病気のデパート」に。

足湯＋ふくらはぎマッサージで、免疫力増強

では、どうしたらNK細胞を元気にできるのでしょう。

ふくらはぎマッサージと足湯の組み合わせが、とても効果的です。

東京大学などの研究チームの発表によると、40〜41度のお湯に、足のくるぶしの上**5㎝ぐらいまでを浸して20分間の足湯をし、採血をして調べたら、ＮＫ細胞の活性度が、10人中７人で高まっていたそうです。**

その後も足湯を続けた人はＮＫ細胞の活性度が衰えず、「かぜを引きにくくなった」「疲れにくくなった」などの体感が報告されています。

お風呂もよいのですが、夏はのぼせやすく、冬は室温と湯温の差が大きいので血圧、血流が乱高下しやすいのが難点です。とりわけ「長湯」は危険。

たとえば41度のお湯に浸かり、ふくらはぎマッサージに熱中して30分もたってしまうと、内臓の温度は39度にまで上がり、熱中症と同じ状態になってしまいます。

また、そこまで体温が上がると体は「緊急事態」と受け取って興奮状態になり、リラックスも熟睡もできなくなります。

体温も「過ぎたるは及ばざるがごとし」なんです。

ちなみに、**ＮＫ細胞を活性化させる入浴後の体温は、わきの下で37・5度ぐらいと**

言われています。

足湯なら心臓や血管への負担が軽く、直後にふくらはぎマッサージをすれば、血流アップ効果、免疫力アップ効果とも、ぐんと高まります。前後には、水かぬるま湯をたっぷり飲むことを忘れないでくださいね。

特にかぜぎみのときは、足湯をして、ふくらはぎをもんで、ぐっすり寝たら、翌日はウイルスが退散しているかもしれません。

50歳からの免疫力を落とさない習慣

ふくらはぎを冷やさないよう、いつもレッグウォーマーで包むのはどうですか?

そんな質問をよく受けます。

これは考え方が分かれるところですが、**私は「甘やかしすぎるのもよくない」と考**

えます。胃が弱っている時におかゆを食べることは大事ですが、毎日おかゆを食べ続けたら、胃はふつうのごはんを消化できなくなってしまいますよね。

免疫力も同じです。ストレスが強すぎても、刺激がなくても、免疫力は下がります。ふくらはぎも、時にはお風呂でお湯と水を交互にかけたり、ちょっと強めにもんだり、「つま先立ち」でちょっとがんばって歩いてみたり…。いたわるだけでなく、ほどよく「鍛える」ことも大事だと思います。

NK細胞を含むリンパ球の割合は、若い時は高く、30歳ごろから目に見えて下がってきます。だから一般的に30代になると疲れやすくなり、40代で体にいろいろな故障が出て、50歳からはがん年齢と言われるのです。

でも医学的なデータをひもとくと、**体温が低すぎず、よく体を動かし、よく笑う人は、リンパ球の割合は年をとってもあまり下がらないことがわかっています。いつも笑って、ふくらはぎマッサージ。これで健康寿命はグッと伸びます。**

PART 6

体脂肪が燃えて
足もスリムに!
「ダイエット」の極意

体温を1度上げれば、体脂肪が燃える！

ふくらはぎマッサージで「冷え」が改善されて体温が1度上がると、体脂肪を燃やす1日の基礎代謝量が、12～13％（約150kcal）も上がり、やせやすい体になります。

よく「代謝がいい、悪い」という言葉を耳にしますね。

私たちは、毎日食べるものから栄養素を摂り入れ、それを体内で燃やして、あらゆる活動をするためのエネルギーにしています。

そうやって栄養素をエネルギーに変え、消費するシステムを「代謝」と言います。

体温の調節、呼吸、心臓を動かす、食べ物の消化・吸収、古い細胞を新しい細胞に生まれ変わらせる……。

すべて代謝の働きによるもので、代謝＝生命活動そのもの。

とにかく筋肉を増やしなさい

代謝には、次の3種類があります。

①基礎代謝（60〜70％）……生命の維持に最低限必要な、じっとしていても、生きるために毎日使われるエネルギー。
②生活活動代謝（約20％）……日常の活動や運動で使われるエネルギー。
③食事誘導性熱代謝（約10％）……食事をする行動や、消化・吸収のエネルギー。

代謝の主役は、①の基礎代謝です。

私たちの体は、寝ている時も体温を保ち、心臓も、胃腸も、ふくらはぎポンプも動き続けています。

たとえ寝たきりで意識がなくても、脳は動き続けて、心臓や筋肉を動かしています。この、じっとしていても、生きるために毎日必ず使われるエネルギーが「基礎代謝量」。主に体温の維持に使われるこの代謝だけで、人が1日に消費するエネルギーの、なんと60~70%を占めます。

②の生活活動代謝は、仕事やスポーツや家事など、日常の活動に使われるエネルギーで、意外なほど少なく、およそ20%。

残りのおよそ10%が③の生活誘導性代謝。食事の時の消化などに使われます。

体温と基礎代謝は正比例の関係にあって、体温が上がれば基礎代謝も上がります。そして、基礎代謝と筋肉量も正比例の関係にあります。

つまり、**筋肉を増やせば基礎代謝は自然と上がり、基礎代謝が上がれば体温も自然と上がる**ということなのです。

元スポーツマンが30代になるとみるみる太り始める理由

「代謝のよい人」とは、栄養素を燃やしてエネルギーに変え、消費する働きが活発な人のこと。

つまり、食べても太りにくく、余分なものもため込みにくい体です。逆に「代謝が悪い」人は、太りやすく、老廃物をため込みやすい体と言えます。

ダイエットをしてもやせにくい、体温が低い、冷えやむくみがある、汗をかきにくい、疲れやすい、と感じたら、それは代謝が落ちているサイン。

1日の基礎代謝量のピークは20歳前で、男性1500kcal、女性1200kcal。最もアクティブで、黙っていてもどんどんエネルギーが使われるので、このころは少しぐらい食べすぎても太りにくいんですね。

ところが20代に入ると、１日の基礎代謝量は、10年ごとに１００kcalずつ減っていきます。基礎代謝量が落ちた分がそっくり体脂肪として体についたとしたら、単純計算で１年に５kg以上の体重増。

30歳を過ぎて、20歳の時と同じ調子で同じ量を食べていると、**運動量は同じでも、体重がジワジワ増える**わけです。

学生時代はスポーツマンだったけれど、社会人になったら散歩するひまもなくて…と言う人は特に、みるみる太りはじめます。運動量が減れば、さらにエネルギーがだぶつくからです。

40歳、50歳と年を重ねるにつれて、じっとしている時間が長くなるのでさらに太りやすくなります。

これが「中年太り」の正体。

体温が1度上がれば基礎代謝量が12～13％上がるので、同じ量を食べても、脂肪がつきにくくなります。

インフルエンザなどで高熱が出るとたちまち2～3kgやせるのは、食べる量が減る上に、エネルギーがふだんよりはるかに使われるからなんです。

ちょっと計算してみましょう。

成人が1日に必要とするカロリーは、年齢や身長・体重で差がありますが、およそ

男性　2000～2200kcal

女性　1800～2000kcal

成人女性の基礎代謝は、

2000kcal×60～70％＝1200～1400kcal

その12％が上がるということは1200～1400kcal×12％＝144～168kcalが

余分に消費されるということ。なにもしなくても、毎日1時間弱のウォーキングをするぐらいのカロリーを消費できるわけです。

体温が高い＝基礎代謝が高いと、食べても太らない体になり、
体温が低い＝基礎代謝が低いと、ちょっと食べても太りやすい体に。

体温を上げない手はありませんね。

では、冷え性を改善し、体温を上げるもっともよい方法は？
下半身の筋肉を活性化させることです。下半身には、全身の6〜7割の筋肉があり、たくさんの熱を作り出す（エネルギーを消費する）からです。

なかでも真打ちは筋肉のかたまり、ふくらはぎなんですね。
歩くこと、階段を利用すること、体操やストレッチ。これはすべて、ふくらはぎの活性化にとてもいい運動ですが、やりすぎると筋肉疲労につながります。

マッサージなら、ふくらはぎの筋肉を活性化させつつ、疲れをとってあげることができます。

ふくらはぎを細くする極意とは

ふくらはぎの「太さ」をコンプレックスに感じている人も、とても多いですね。

Q&Aでも触れていますが、大きな原因としてあげられるのが、まず「むくみ」。ふくらはぎにたまっている老廃物や水分を排出させ、リンパ液の流れをよくすることが先決です。

リンパの流れをよくするのに効果的なのは、入浴（みぞおちから下を40分ほどかけてじっくり温める半身浴なら、なおおすすめ）をしながら「**アキレス腱からひざの裏にかけて、何度もやさしくさすり、指でじっくり押していく**」こと。

それから、**ひざの裏の「少し痛い」と感じる部分を圧迫して離すこと。**これをていねいにくり返します。

アキレス腱からひざ裏にかけては、体とふくらはぎの老廃物を流すツボが集中しています。特にひざ裏は、ふくらはぎデトックスに効果的と言われます。

お風呂上がりは血行がよくなっているので、入浴中に加え、お風呂上りにもリンパマッサージを行うと効果的ですよ。必ず、ぬるま湯か常温の水を少しずつ飲みながら行ってください。Q＆Aでは、ふくらはぎを細くするエクササイズ「つま先立ち」「つま先歩き」もご紹介しています。

肉離れを防ぐ3つの方法

スポーツで代謝を高めよう、という時にこわいのが、ふくらはぎの肉離れ。走る、飛ぶ、跳ねる、などの動作の拍子に、瞬間的にふくらはぎの筋肉が引き伸ばされて、肉離れがおきます。

ふくらはぎに力をいれると、力こぶのように2個の筋肉が盛り上がります。内側の筋肉を内側腓腹筋《ひふくきん》、外側を外側腓腹筋といい、よく肉離れをおこすのは、内側の、アキレス腱との境界近く。輪ゴムを結んで強く引っぱると、たいてい結び目付近が切れるように、筋肉と腱とのつなぎ目にトラブルがおきやすいんです。

また、内外の腓腹筋よりも中の骨に近い側には、ヒラメに似た形をしているヒラメ筋があります。マラソンやジョギング、長時間ウォーキングなどで、ひざ下の疲労が慢性化している時に、ヒラメ筋の肉離れがおきることがあります。こちらは事前に少しずつ痛みが出てサインを送ってくることが多いようです。

肉離れの主な原因は、はりきってスポーツをしすぎてふくらはぎが筋肉疲労をおこし、筋収縮反応が落ちてしまうこと。

①運動前の充分なウォーミングアップ。
②ふくらはぎサポーターで保護する。
③運動の後、ふくらはぎの筋肉が熱を持って炎症を起こさないようアイシング。

この3つの心がけと「無理しないこと」で、ほとんど防ぐことができます。

PART12のQ&Aで触れている「こむらがえり」は軽い肉離れなので、その予防法も参照してください。

PART 7

血管年齢が若返る!
「高血圧、動脈硬化」
改善の極意

肺、脳、心臓を詰まらせる「血栓」の恐怖

サッカーの日本代表候補だった選手が「エコノミークラス症候群」で体調を崩し、ワールドカップへの出場を断念。以前、そんな事件がありました。

前述したように、飛行機などの狭い座席に長時間座っていて、歩き始めた時に呼吸困難に襲われ、亡くなる方も少なくないのが、エコノミークラス症候群。飛行機に限らず、タクシードライバー、車で夜明かしした震災被災者など、たくさんの方が、この症候群の犠牲になっています。

正式な病名は、「深部静脈血栓症」。

わずか数時間、血流がとどこおっただけで、血管の中に血栓（血のかたまり）がで

きて、肺を詰まらせ、時に命まで奪ってしまう。

体を鍛えあげた、若いスポーツ選手でも逃がれられない。

「血液がスムーズにめぐる」ことの大切さ、血栓のこわさがよくわかる病気です。

この症候群の初期症状は「足のむくみ」。

1時間に1回は立ち上がれ！

言葉を変えて言うと、足のむくみやすい人は、血栓ができやすい体質。

日本人の死因としてがんに迫る、脳梗塞や心筋梗塞への警戒が必要です。

1日中パソコンと向かい合う職業や、家でじっと座っている時間の長い人は、とりわけ気をつけてください。


専門機関の測定によると、人が立っている時の足の血管には、1秒間におよそ12cm

の速さで、血液がスムーズに流れています。

座ると、1秒間に5㎝と半分以下の速さに。そのまま30分間じっと座っていると、1秒間に2・5㎝にまでダウンするそうです。

航空医学研究センターが、ふくらはぎ上部の血流スピードを超音波で測定した実験でも、**立っている時は毎秒6・3㎝。座ると毎秒4・4㎝。座って30分後には、毎秒3・1㎝と、半減しました。**

座った姿勢では、ふくらはぎの筋肉が収縮しにくくなるので、血液を心臓に戻すポンプとしての働きが悪くなります。

そのため血液がとどこおり、血流が遅くなるのです。

そんな時、ふくらはぎを軽くもむだけで、血液の流れが速くなることが確認されています。

とにかく血栓を作らないように、座ったままでもいいのでまめにふくらはぎに手をのばしてもみ、少なくとも1時間に1回は立ちあがって足首を回しましょう。

つま先立ちをすると、ふくらはぎの筋肉が活性化するのでおすすめです。

常温の水、ぬるま湯の補給が血液をうるおす

血栓ができるもうひとつの原因は、水分不足。

なぜエコノミークラス症候群がとりわけ飛行機内で多発するかというと、空気が乾燥していて、1時間に80㎖近くの水分が、体から蒸発するから。

人間に必要な水分量は、成人で1日1・8ℓ前後と言われます。12時間のフライトで、半分以上に当たる、およそ1ℓが失われてしまう計算です。

体内の水分が不足すると、足にたまった血液は粘り気を帯び、いわゆる「ドロドロ」状態になり、血栓が作られやすくなるんです。

何度もくり返しますが、**体のむくみやすい人が「水を飲むと、よけいむくむから」**

と水分を控えるのは、厳禁です。血流が悪くなって老廃物もスムーズに出ていかないので、ますますむくみやすくなるし、血栓リスクも飛躍的に高まります。

水分をまめに補給することで、血液の流れがスムーズになり、血栓ができにくくなります。ただし、コーヒー、お茶などのカフェイン飲料やアルコールには、利尿作用があるので、水分補給どころか、脱水症状をおこしかねません。

また、冷たい水は体を冷やし、がぶ飲みは内臓に負担をかけます。

常温の水かぬるま湯をペットボトルや水筒に入れていつも持ち歩き、少しずつ補給するのが一番です。コップから飲む場合も、2〜3分かけて少しずつ体に送り込んでいきましょう。

動脈硬化を防ぐ方法とは

血管年齢、という言葉を、最近よく聞きます。

血管は、年を重ねるとだんだん柔軟性を失っていきますが、最近は若いのに血管がかたくて血管年齢が高い「血管年寄り」が少なくありません。

血管がかたいと、血液の勢いなどで内壁が傷つきやすくなり、かさぶたのように盛り上がったり、血管がもろく、細く、破れやすくなります。これが動脈硬化。そこに血栓ができると、たちまち脳梗塞や心筋梗塞につながってしまいます。

そして20～50代の働き盛りに、高血圧、動脈硬化、脳梗塞、心筋梗塞、クモ膜下出血などで突然死、という悲劇が年々増えています。

一見、それぞれが独立した病気のように見えますが、どれも同じ「血液循環の異変」から引き起こされ、お互い深くかかわりあう「循環器病」です。

血液は、人体の60兆個もの細胞に酸素や栄養素を運び、いらなくなった老廃物を回収しています。

「血は命である」というのは旧約聖書の言葉ですが、血液の循環が止まることは、

「死ぬ」こと。それが脳梗塞という形でおこれば、脳の一部に血が通わなくなって、機能がこわれてしまうので、命が助かっても、半身マヒや言葉の不自由などの重い後遺症が残ることが多く、リハビリにも時間がかかります。

心筋梗塞も、くも膜下出血も同様で、発症すると亡くなったり、重い後遺症を抱えるリスクがとても大きい。

それはどんなに医学が進歩しても変わりません。

血管が詰まる瞬間まで、はっきりした自覚症状がないというのもこわいところです。

動脈硬化の危険因子は「高脂血症」「高血圧」「糖尿病」「肥満」「喫煙」「食生活」、「ストレス」「神経質な性格」「運動不足」「加齢」「遺伝」など、あまりにもたくさんありすぎ、体質的な面も多くて、とても防ぎきれない印象。

しかし、物理的に血管年齢を若返らせる方法はあります。
それがふくらはぎマッサージです。

高血圧が、血栓リスクを高める

ここで、命を左右する血圧と血管の基本を頭に入れましょう。

血圧には、上と下の2つの数値があります。
上は、血管壁に最も大きな圧力がかかった瞬間の数値。
下は、血管にかかる圧力が最も低くなった瞬間の数値。
上が140（mmHg）以上、下が90以上だと、高血圧と診断されます。

血圧が高いと、血管の中の壁に常に高い圧力、つまりストレスがかかります。そのため、血管が傷つきやすくなり、かさぶたのように盛り上がって血管を狭めます。このかさぶたは「プラーク」と呼ばれていて、もろいので、はがれてしまうことがあります。それが血栓となり、時に血管をふさぎます。血液がとどこおるとできる血のかたまりも、血栓になります。

血栓が血管をふさいだ場所が心臓付近なら心筋梗塞、脳の付近なら脳梗塞を引き起こして、そこから先に血液が送られなくなるから、命にかかわる事態を招くわけです。

ふだんは血栓の作用のおかげで、傷などで出血しても大量の血液を失わなくてすんでいます。血管の傷も補修されます。

また、私たちの体には不要な血栓を溶かす酵素もあって、血液の循環をスムーズにしています。

ところが、動脈硬化、高脂血症、高血圧などで血管が弱ると、この酵素が作られにくくなり、血栓を溶かしきれなくなってしまいます。血管自体も傷つきやすくなっているので、傷を治そうとする力が働いて、二重三重に血がかたまりやすくなります。

血管が弱ると、加速度的に血栓リスクが高まっていくわけです。

足先がしびれたり、妙に冷たくなったら要注意

血栓体質かどうかを見極める目安として、注目されているのが、前述した足のむくみ。たまった血液がよどみ、かたまって、血栓となりやすいからです。

指で押すと、跡が残ってしまう女性のふくらはぎを超音波装置で見ると、よく血管の中が白くにごって見えます。血液がよどんでいる証拠ですね。

最近、**足に向かう動脈や、ふくらはぎの動脈が詰まる動脈硬化も増えていて、基礎疾患として糖尿病を持つ人に多いと報告されています。**

最初のサインは、足先がしびれたり、妙に冷たくなった感じ。

第2段階では、ある一定の距離を歩くと筋肉の痛み・ひきつれを感じて歩けなくなってしまい、休憩すると再び歩けるようになります。

「最近よく、歩いている時に、ふくらはぎや太もも、お尻が痛む」と病院に駆け込む人には、足のつけ根の血管が詰まったり、狭くなっていることが多いそうです。

第3段階では、休んでいる時や夜、寝ている時に、ふくらはぎなどに強い痛みを感じるようになり、さらに進行すると、足先の血液の流れの悪い部分にかいようができたり、最後は足先が壊死する（腐る）こともある、深刻な病気です。

本当はがんより恐ろしい循環器病

厚生労働省の近年の統計調査を見ると、日本で一年間に、心筋梗塞、心不全などの心臓病で亡くなる人はおよそ16万人。

脳梗塞や脳出血などの脳卒中（脳血管疾患）で亡くなる人は、およそ13万人。循環器病に命を絶たれる日本人は年間30万人にものぼり、総死亡者の３人に１人を占めています。

これは、肺がん、胃がんなど、すべてのがんによる年間死亡数のおよそ32万人と、ほぼ同数なんです。

また、脳梗塞や心筋梗塞には「寒い季節に、お年寄りをおびやかす病気」というイメージがありますが、文科省が10万人以上の男女を10年がかりで追跡した調査などで、**実は脳梗塞の発症は冬より夏に多く、30代〜50代にも急増。**脳梗塞だけで、全国で１１０万人もが、治療のために通院、入院しています。

健康に気を配り、体を鍛えていた歌手の方が脳梗塞で倒れたり、お笑い芸人の方が、マラソンに挑戦して急性心筋梗塞に襲われ、一時は命が危ぶまれたり、といったニュースも見聞きしましたね。

また、寝たきりで介護を受けている人はおよそ40万人と言われますが、その45％が循環器病、うち9割が脳卒中患者です。

循環器病には、がんより恐ろしい面がたくさんあります。

健康なふくらはぎなくして、長寿なし

血管がかたくなる一番の原因は、運動不足と食べ過ぎ。そう言われて激しいジョギングやテニスなどハードなスポーツを始めると、かえって血管を収縮させてかたくなるという面もあります。

また**「粗食」で血液中のコレステロールが減ると、血管壁は破れやすくなります。**

コレステロールを含む中性脂肪はすっかり悪者にされていますが、細胞膜の大事な成分で、各種ホルモンのもとでもあり、Ｏ１５７のような病原菌を中和して無毒化す

るので、感染予防にも欠かせない成分。**ハードなスポーツや粗食より、ほどよく体と足首を動かし、バランスよく食べて、まめにふくらはぎマッサージをしたほうが、循環器病の予防になります。**

「ふくらはぎは足の血液を押し上げる第2の心臓として働きながら、心臓の働きをコントロールしている高度な器官。人間は健康なふくらはぎなくして、血液循環を正常に保つことはできないのです」と石川洋一先生は語っています。

PART 8

90歳からでも若返る！
「アンチエイジング」の極意

血流アップで、90歳からでも若返る

「若さとは人生の一時期のことではなく、心のあり方のことだ」（S・ウルマン）。若さとは「血液のあり方」のことでもあります。

人間の体が老化するのは、年をとるに従って新陳代謝が衰え、体内で作られる水の量が減るから。

新生児の時に80％あった水分が、一般的には成人になると60％、高齢者になると50％以下しかなくなってしまいます。だから肌がたるみ、シワができるんです。

しかし、**年を重ねても血液がよくめぐっていれば、36・5〜37・1度の健康的な体温が保たれ、栄養もホルモンも、体のすみずみまで運ばれ続けます。**

いらない脂肪や老廃物や水分はスムーズに排出されます。

細胞が活性化しているから血色もよく、いつまでもすっきり、いきいき、つややかでいられます。


90代からふくらはぎエクササイズを始めて認知症を遠ざけ、107歳の天寿を全うした「きんさん」のように、血流は、人生のどの時期からでも改善し、驚くほどの若返りが期待できます。

ふくらはぎマッサージは、荒れた肌の美容液

肌荒れに悩む人の8割近くが「冷え」を感じている……。

10～60代の763人を対象に行われた製薬会社のアンケートで、手足の肌が荒れている人の78%が「冷え」を感じている、という結果が出ています。

一方、皮膚の専門医によれば、「**ひびやあかぎれのある人に、手足のマッサージを2週間続けてもらったら、血行が改善して体の表面の温度が上昇し、全員の肌トラブルが改善した**」そうです。

血行をよくして体温を高めることは、最高の美容液。

そこで、ふくらはぎマッサージなんです。

ふくらはぎを毎日もみほぐせば、血液は必ず今よりスムーズに流れ、体温が上がり、体調がよくなります。

健康的な平熱が保たれ、全身の細胞が活性化して、老廃物がきちんと排出されるので、シミも加齢臭も寄りつきません。

肌はいつまでもみずみずしく、病気と闘う免疫力が高まり、よけいな脂肪が身につかないので、いつまでもすっきり若くいられます。

高齢者に熱中症が多い理由

夏に熱中症で病院に運ばれたり亡くなられる方の多くは、高齢者です。体の機能が弱った高齢者は、自律神経に狂いが生じやすく、急な暑さに適応できません。すると体内の水分の循環がとどこおり、体にこもった熱を下げることができなくなりがちに。

そして内臓の働きも弱り、最悪の場合は、死に至ってしまうんです。

熱中症を防ぐには「体に溜まった熱を放出できる体になる」ことが先決。

ここでも、ふくらはぎマッサージが力を発揮します。血液、リンパ液、水分など、あらゆる体液の循環の改善に、とても効果的だからです。

逆に言うと、ふくらはぎは体液の循環を敏感に反映します。

「老いると、血液の循環が悪化して、ふくらはぎの温度が著しく低くなる。逆に、ふくらはぎは足の中で最も運動によって温度を上げやすい」というデータを発表したのは、名古屋市立大学医学部の蟹江良一助教授。

体温差を細かく測定できるサーモグラフィー装置を使って、老人保健施設に入っている20人（平均年齢83・1歳）と、成人20人（34・5歳）の足の温度を測りました。

結果がとても興味深いんです。

成人は①太ももの表　②同裏　③すね　④ふくらはぎの温度に、ほとんど差がありませんでした。

ふくらはぎの温度はかんたんに上げられる

ところが高齢者のデータを見ると、ふくらはぎの温度が極端に低く、最も体温が高い太ももと比べて平均1・75度ものギャップがあったんです。

次に、高齢者に1日2回の自転車こぎなど、かんたんな足の運動を6週間続けてもらいました。

すると、太ももなどでは運動しても体温が0・1〜0・4％しか上昇しないのに、ふくらはぎは1・7％に当たる、0・54度も上がったそうです。

これは、**「ふくらはぎは、その気になってストレッチすれば温度がかんたんに上がる」**ことを示しています。すると血液のポンプ作用も強くなって、温かい血液が体のすみずみに届くから、体温が上がる、ということになります。

足の衰えを防ぐ、というと、今まで太ももの筋肉の訓練がさかんに行われていましたが、ふくらはぎのエクササイズやマッサージこそ重要、ということがよくわかるエピソードです。

若々しさを保つには、「腸の状態をよくして便をためないこと」も大事。

体にたまった老廃物の75％は便として排泄されます。逆に、便が腸内に長くとどまると、さまざまな毒素も長くとどまり、老化を早めます。

ふくらはぎマッサージは腸をダイレクトに活性化するので、「便通がよくなった」という喜びの声を、数えきれないほどいただいています。

ＰＡＲＴ１のふくらはぎマッサージのほか、つま先立ち運動をゆっくり繰り返す、ベッドの上で足首を曲げ伸ばす、など、体力に応じて無理なくふくらはぎをいたわって、よい刺激を与えて、思いきり若返りましょう。

PART 9

痛みやだるさを消す!
「腰痛・ひざ痛・肩こり」
解消の極意

国民病!? 1500万人以上の日本人が、腰痛持ち

湿布、腰痛体操、腰痛ベルト、低周波治療器……。

やれることは全部やったのに、どうにもこうにも腰の痛みが引かない、という方が、とても多いですね。

腰痛は、欧米人に比べて日本人に圧倒的に多い症状のひとつ。東京大学医学部22世紀医療センターなどの調査では、推定1500万人前後もの日本人が〝腰痛持ち〟だと言われています。

腰の痛みに悩む人は年々、確実に増加しているのに、85%は「原因不明」というデータもある、不思議な国民病です。

ひと口に腰痛と言っても、慢性的なもの、椎間板ヘルニア、坐骨神経痛など、さま

ざまな種類があります。

ほぼ共通の引き金としては、**腰の周りの筋肉が衰えて骨を支える力が弱くなり、不自然な力がかかる**、ということ。その結果、筋肉が緊張したり、椎間板が飛び出したり、脊柱の間が狭くなったりして痛みが出ます。

パソコンやテレビの前にずっと座りっぱなしの生活や、姿勢の悪さ、高齢者が増えていることなど、さまざまな影響が取りざたされていますが、それにしても1500万人というのは、大変な数字です。

ふくらはぎを伸ばせば腰痛が軽くなる

ふくらはぎの筋肉は、腰の状態に大きく振り回されるんです。腰痛の人や、腰痛になりかけている人は、腰を支える筋肉の状態が左右で違ってくることが多い。

すると、左右の骨盤の高さや股関節の位置にズレができて、腰を支える機能にアンバランスが生じます。

つられて、左右のふくらはぎにもアンバランスな力がかかってくるので、大きな負担になります。

無理を強いられたふくらはぎは、血液を送り出すポンプ力が弱まり、筋肉疲労が高まります。そして血流がとどこおり、足がむくんだり、少し歩いただけでだるくなったり、こむらがえりもおきやすくなります。

また、左右の足首にも無理がかかって、足の裏やかかとが痛んだりします。

逆の発想で、ふくらはぎのストレッチによって血行をよくして背骨の周りの筋肉もほぐし、腰痛を軽くしましょう。

最近、腰が重いかな？　と思ったら、腰痛防止のストレッチを。

ふくらはぎの深部にはヒラメ筋、表面に近い部分には腓腹筋という、２つの筋肉があります。２つとも足首の曲げ伸ばしにかかわり、腓腹筋は血液を押し上げるポンプ活動も担っています。

PART1の「ふくらはぎマッサージのやり方」の中の、P37の仕上げのストレッチ「アキレス腱とふくらはぎを伸ばす」。

これを毎日、はずみをつけないで左右ゆっくり10秒ずつ、じっくりじっくり行うと、ヒラメ筋も腓腹筋も柔軟に保てます。

腰に痛みを感じる人は、腓腹筋がかたくこわばっていることが多いので、この腓腹筋へのストレッチで、腰の回りの筋肉によい刺激を与えます。

腰痛が慢性化している人には痛くてハードなストレッチだと思います。決してあせらず、無理せず、毎日少しずつやってみてください。

ひざ痛は「軟骨ケア」で改善する

年を重ねるごとにひざの軟骨がすり減り、ひざや腰などに強い痛みを引きおこす、変形性膝関節症。日本では60歳以上の40％、1000万人がこの病気に苦しんでいると言われます。横浜市立大学医学部では、ひざの軟骨を再生させる治療法を考案。中高年のボロボロになった軟骨の再生で、治療実績を上げています。

スポーツでひざを酷使し続けていたり、年を重ねてあまり歩かなくなると、足の筋肉が衰えてひざ痛が出やすくなります。

さらに、体重が重くなるほど、ひざの負担は増えます。

平地を歩く時には体重の約2～3倍、階段の上り下りでは約4倍、ランニングでは約6倍もの力が、ひざにかかります。体重40kgの人が階段を上り下りする時は約160kg、体重80kgになると、約320kg。

また、人間の背骨は、身体をバランスよく支えるためS字カーブを描いていますが、お腹ポッコリ体型だと体の重心が前に移動し、このカーブに大きな負担がかかります。

するとと腰の筋肉もこり、血流が悪くなって神経が圧迫され、腰痛がおこりやすくなります。そして姿勢が悪くなり、ひざ痛の原因に。

血行不良もひざの大敵です。

すり減った軟骨は、血液で運ばれてきた栄養を使って、再生・修復されているので、血流が悪化すると、栄養成分が届きにくくなります。

すると軟骨の修復が遅れて、ひざ痛が出てきます。

ひざの痛みをやわらげるために家庭でできることは、なにはさておき、足の血行をよくするマッサージです。ふくらはぎをていねいにもみほぐしてください。

ふくらはぎをもむと「こり」がまとめてラクになる理由

「肩こり」も、日本人のほとんどが経験する症状。

「こり」の正体は、ズバリ **「筋肉の緊張」** です。

肩に限らず、目の周り、首筋、背中、腰と、実にさまざまなところがこって、時に鉄板のようにかたくこわばることもありますね。

こったところをもむほかに、「蒸しタオルで温める」「たたく」「肩を上げ下げ」「肩甲骨を寄せながら背伸び」「腰を回す」など、人それぞれの「ほぐしワザ」があると思います。

ふくらはぎマッサージは、体のどの部分の「こり」にも、オールマイティーに効く奥の手です。

来る日も来る日もパソコンの前に座りっぱなしの仕事の方は「こり」も重症で、肩や首筋はもちろん、目はかすみ、頭痛に悩まされ、「もうどうしようもない」と、倒れ込むようにして身心健康堂にいらっしゃいます。

「ではマッサージしましょう」と言って、ふくらはぎをもみはじめると、最初は「肩をもんでほしいんですけど」とムッとされますが、「ここまでこりがひどい時は、まず、ふくらはぎからほぐして血液の循環をよくして、体全体の緊張を解いたほうがいいんですよ」と説明します。

半身半疑だった表情がやがてやわらいで、「**こってるところを全然触らなくても、ラクになるんですね～**」と納得してくださると、すごくうれしいですね。

ケーキ屋さんで毎日立って接客して、背中と腰の痛みに悩んでいた方からは「休憩時間に足首を回し、ふくらはぎを2～3分マッサージして、最後にアキレス腱を伸ばすだけで、夕方の疲れがぜんぜん違う。痛みもほとんど出なくなりました」とうかがいました。

ふくらはぎマッサージで全身の「筋肉ほぐし」を

筋肉は、私たちが寝ている時も、絶えず働いています。

ひとつは体を動かすため。もうひとつは、伸びたり縮んだりのポンプ作用を繰り返して、血液の循環をうながすため。

筋肉を長時間ハードに使い続けると、ポンプ作用が追いつかなくなり、血液がよどんできます。

すると筋肉は酸欠状態になり、乳酸などの疲労物質が排泄されにくくなります。でも筋肉は働き続けるので、疲労物質はたまるばかり。

それが続くと筋肉は柔軟性を失って、硬くこわばっていきます。

それが、こりの正体。

ふくらはぎマッサージは全身の血液の循環をよくするので、体中の筋肉に新鮮な酸素を送り届けて、まとめてラクにします。

PART 10

ホルモンバランスをととのえる!「不眠・うつ」を癒す極意

ストレスで「かたまる」ふくらはぎ

ストレスが胃にくるのは有名ですが、ふくらはぎマッサージを始めると、悩みや精神的な緊張が降りかかったとたん、ふくらはぎがちょっと引きつれたり、かたくなったりすることに気づくと思います。

ふくらはぎは、心の状態を、デリケートに映し出します。言い変えれば、**自律神経やホルモンの乱れをしっかり教えてくれます。**

「自律神経失調症」が、よく話題になります。

主な原因は精神的ストレス。プライベートや職場の環境、人間関係、体調、不摂生などが複雑にからまって心の不安がおこり、それに伴って自律神経のバランスが乱れて、精神不安や不眠、うつ状態が引き起こされます。

自律神経は、びっくりすると心臓がドキドキするなど、私たちの意志ではコントロールできないところで働く神経。内臓全体に分布していて、分泌、循環、発汗、呼吸などに深くかかわっています。

私たちの体を構成する60兆個すべての細胞の働きを調整していて、「交感神経」と「副交感神経」が、シーソーのようにバランスをとって働き、体を安定した状態に保っています。

緊張している時や怒った時、目標に向かってがんばる時に優位になるのが交感神経。体を冷やす神経です。リラックスしたり、眠たい状態の時に優位になるのが、副交感神経。こちらは体を温めます。

ところが大きな悩みごと、働きすぎや睡眠不足が続くなど、ストレスが長期間に及ぶと、その影響は自律神経に及んで、交感神経が一方的に緊張するようになります。
するとと体が冷えて、体内のリズムが崩れていきます。

人間の心と体には、私たちが想像する以上に密接で深い関係があり、自律神経のバランスが崩れると、頭痛、焦燥感、不眠、冷え、下痢、便秘、ほてり、震えなど、さまざまな症状が現れます。

自律神経失調症は男性より女性に多く起こりますが、これは、女性特有の月経、妊娠、出産、更年期などがあって、自律神経やホルモンと深くかかわっているからです。

卵巣や子宮も冷える

病気の予防も治療も、自律神経のバランスの正常化が大きなカギになるので、もう少し詳しくお話しますね。

がん、うつ病、更年期障害、リウマチ、膠原病、パーキンソン病、潰瘍性大腸炎、高血圧、糖尿病、C型肝炎、胃潰瘍、耳鳴り、めまい、難聴、白内障、偏頭痛、顔面神経マヒ、ひざ痛、腰痛、円形脱毛症、前立腺肥大症、頻尿、不眠症、冷え性、痔、便秘、水虫…。

ごく一部を挙げただけでもこんなに、自律神経の乱れが引き金になる病気がありまます。言葉を変えれば、健康のカギは、自律神経の正常化です。

そのメカニズムを知っておきましょう。

自律神経は「心臓を動かす」「呼吸」「体温の調節」「エネルギー代謝」などを調節する神経。寒いと、まず体の表面が冷たくなります。体熱を外へ逃がさないように、自律神経が皮膚の血管を収縮させるんです。

私たちに体温があるのは、内臓や筋肉などの細胞の活動によって作られた熱が、温かい血液になって、体中に運ばれているから。

寒い外気と触れ合っている皮膚にたくさん血液を送ると、血液が冷えて体温が下がってしまうので、それをさせないように、自律神経が働きます。

寒いと手足もかじかみます。これは内臓や脳など、命をつなぐために最も必要な部分を守るため、「末端」への血流が減るからです。卵巣や子宮も末端扱いになります。その反応が必要以上に起きてしまうのが、冷え性です。

まじめな人は自律神経が乱れやすい

皮膚や手足の動脈の収縮に働くのは、交感神経。

交感神経と副交感神経には本来、きちっとした役割分担があり、一方が収縮なら、他方は弛緩と、シーソーのようにだいたい反対の働きを起こすようになっています。

たとえば胃腸の動きは、交感神経が抑制し、副交感神経が促進します。

「自律神経のバランスがとれた、正常な」状態は、およそ12時間交代で、昼間は交感神経が、夜間は副交感神経が優位になり、役割分担がうまくいっている状態。**どちらかの働きが過剰になると、血行障害がおきて、体が冷えます。**

自律神経は感情に左右され、仕事や子育てのイライラ、悩み、過労、逆に刺激が少なく無気力、睡眠不足などのストレスがかかると、バランスがくずれます。

そして「手足は冷えるのに顔はほてる」「だるくて疲れているのに動悸がする」などのちぐはぐな症状が現れたり、めまい、不安感、生理不順などに襲われます。

自律神経が乱れやすい体質は、アレルギーや虚弱体質の人、立ちくらみしやすい人、冷え性の人、乗り物酔いしやすい人、生理不順や生理痛のある人など。

性格的には、内向的で感情を抑えがちな人、心配性の人、情緒不安定な人、怒りっぽい人、まじめで忍耐強い人。つまり、ストレスをためやすい人です。

ふくらはぎをもんで、安眠→早起きの好循環！

自律神経を正常化する近道はズバリ、**「早寝早起き」**です。

毎朝きちんと朝日を浴びると「ハッピーホルモン」と呼ばれるセロトニンがたっぷり分泌され、体内時計もリセットされます。

セロトニンには、自律神経のバランスをととのえる働きがあります。

すっきり早起きするためには、眠る前に交感神経を沈静化させ、副交感神経が充分に働くようにして熟睡することです。

ＰＡＲＴ３の体験談でも紹介したように、ふくらはぎマッサージの安眠効果は、寝つくまで2時間かかっていた子どもが、2分でスヤスヤ寝息をたて始めるほど。

ふくらはぎをもんで安眠・早起きを習慣にすれば、気分のいい時間が増えて、イライラが遠ざかり、自律神経がバッチリととのいますよ。

ホルモンとふくらはぎの不思議な関係

女性ホルモン、成長ホルモン、甲状腺ホルモン…。しょっちゅう見聞きする「ホルモン」という言葉ですが、実態はつかまえにくいですね。

ホルモンは体内に100種類以上存在する、体のさまざまな機能を調整するために、ごく微量で働く物質。体の健康を保つための、一種の潤滑油とも言えます。

ホルモンは甲状腺、副腎、卵巣など全身のいたるところで作られ、付近の細胞で働いたり、血液中に放出されて、遠く離れた細胞に到達して働いたりします。

人間の体には「ホメオスタシス」と呼ばれる、体の状態を一定に保とうとする機能が備わっています。

体が水分不足の時には、血圧を維持させるホルモンや、腎臓に働いて尿を濃縮させて水分が逃げるのを防ぐホルモンが出ます。そして脳には、のどの乾きを感じさせて水を飲ませるホルモンが出ます。

「ホルモンのバランスがくずれる」というのは、体が水分不足なのに、のどの渇きを感じないといった不調。１００種類以上ものホルモンの働きが、次から次に狂い始めたら、体の中は無政府状態になってしまいます。

現代人にとりわけ多いのは、交感神経が緊張しっぱなしになり、眠りが浅くなり、体が冷えておこる不調。

ふくらはぎをていねいにもみほぐすと、リラックスして体が温まるので、まず不眠が改善され、心が安定して、乱れた自律神経やホルモンのバランスが少しずつととのっていきます。

PART 11

アレルギーをやっつける!
「アトピー、花粉症、ぜんそく」
改善の極意

代謝を上げればアレルギーが改善する

鼻がムズムズして、鼻水もひっきりなし。目は充血して、取り出して洗いたいほどかゆく、くしゃみも立て続け……。

花粉症に悩まされている人は、環境省の推定ではいま、国民の3割。首都圏のＯＬアンケートでは6割が「花粉症の症状がある」と回答しています。

花粉症の原因と言われているのは、スギ、ヒノキ、ブタクサ、ヨモギなどの花粉がコンクリートやアスファルトにはじかれ、乾いた状態で大量に舞い続けていることや、排気ガスなどの大気汚染物質の作用。

ストレスが多すぎて自律神経がアンバランスになりやすいことも、追い打ちをかけています。自律神経については、ＰＡＲＴ10を参照してください。

アトピーやぜんそくに悩む人も、老若男女を問わず増え続けて、世はアレルギー時代ですね。

人間の体には本来、自分の体を自分で直し、回復させる力「自然治癒力」が備わっています。切り傷や擦り傷をした時、傷口をふさごうとする能力。かぜをひいたら熱を出して免疫力を高め、ウイルスを追い出す能力。

アレルギーは、本来は体を守ってくれるはずの免疫反応が、自分の体に不利に働いてしまう病気。

食物アレルギー、金属アレルギー、動物アレルギー、鼻炎、皮膚炎、結膜炎など、無数のアレルギー疾患が生まれています。

アレルギー改善のカギは、代謝の改善にあると、私は考えています。代謝とは、前述したように、食事で摂った栄養を、身体の中でさまざまな形に変えて利用し、不要なものを排せつする、生きていくために欠かせないシステム。

代謝がいいと、血液や内臓、骨、肌、髪、つめなど、体のさまざまな組織の細胞が活性化して、ちゃんと新しく生まれ変わります。

当然ながら、代謝のいい体の中では、自然治癒力も免疫力も正常に働くはずです。

代謝がいい状態

・活動的で、疲れにくい・血行がよく、冷えとは無縁・快眠快便で、肌がつややか
・きちんと食べることができ、太りにくい

代謝が悪い状態

・いつでもだるく、疲れやすい・カゼを引きやすく、夏でも冷えを感じる
・便秘ぎみでよく眠れず、肌荒れが目立つ・太りやすく、年齢よりも老けて見える

アトピーに限らず、頭痛、肩こり、高血圧からがんまで、ほとんどの病気は代謝の

悪化から生じる、とも考えられます。
その代謝の源こそ、血液循環です。

ふくらはぎと毎日「触れ合い」を

ここでもう一度くり返します。
ふくらはぎの筋肉に柔軟性があり、力強いポンプ力があれば、全身の血行もよくなり、体温が上がり、万病が逃げ出します。

でも、現代社会に生きる私たちのふくらはぎの大半は、残念ながらとても疲れ、衰えています。

立ちっぱなしの労働や運動のしすぎによるふくらはぎの疲労。反対に座りっぱなしのオフィスワークや私生活によるふくらはぎの衰え。ストレス、エアコンによる冷え……。どの場合も、ポンプ作用はうまく行なわれなくなってしまいます。
ふくらはぎは、あなたの健康を守ってくれるセルフドクター。
どうぞ毎日向かい合い、触れ合って、よくもみほぐしてあげてください。

PART 12

元気に長生きするためのふくらはぎ一問一答!

Q ふくらはぎの筋力を確かめる方法はありますか？

A 「開眼片足立ちテスト」をしてみてください。

ふくらはぎも含む、下半身の筋肉や神経の機能について、てっとり早くわかる方法があります。「開眼（両目を開けた状態で）片足立ち」テスト。

①すべらない床か、大きくふらついたり転倒しても危険がないか、周りを確認します。
②腰に両手を当てます。
③軸足を決めて、もう一方の足を床から５㎝ほど上げます。
④軸足の場所がずれたり、上げた足を地面に着いたらやめます。

30秒以内にギブアップしたら、ふくらはぎがかなり弱っています。75歳以上の男性で20秒以上できる人は約40％、女性は20％というデータが出ているので、20秒以内なら、たとえあなたが若くても「ふくらはぎ年令は75歳前後」ということになります。逆に、120秒できたらバッチリです。

Q ふくらはぎを鍛えるには、どんな運動が向いていますか？

A 最高のふくらはぎジムは、階段の上り下りです。

ふくらはぎを元気に保つのにおすすめしたい運動は、階段の上り下りです。アキレス腱がよく伸び縮みするので、ふくらはぎの筋肉もよく伸縮して、ポンプ力が高まります。上るのがきつい方は、階段を下りるだけでも効果があります。

「階段は暮らしの中の、最高のふくらはぎジム」と思って、「できるだけ階段のある道を選び、歩道橋をいやがらず、エレベーターはなるべく使わない」などのマイルールを決めて、無理なく、ふくらはぎを活性化してください。ふくらはぎマッサージも忘れないでくださいね。

ハードな運動で鍛えあげたふくらはぎが「健康」とは限りません。スポーツマンのふくらはぎはむしろ、筋肉疲労、ひざに水がたまりやすい、アキレス腱に炎症がある、ひざや足首のつなぎ目のじん帯を痛めた…など、さまざまな故障をお見受けします。

「糖尿病は、歩くとよくなる」「毎日1万歩歩けばメタボを解消できる」などとお医者様にアドバイスされて、健康のために毎日まじめに歩いた結果、ひざ痛に悩まされている方も、何人も知っています。

よく歩くことで、確かにカロリーを消費できるし、代謝がよくなって、血糖値も下がります。が、足を痛めたら運動どころではなくなり、元も子もなくなる。内科的に体によいことが、整形外科的には体を痛めることがあるんです。

「体にいいこと」って、なかなか一筋縄ではいかないですね。

私はいつも、**「ハードに足を動かしたら、同じぐらいの時間をかけて、ふくらはぎをマッサージして、いたわってあげてください」**と、アドバイスしています。

Q 夕方になると、ふくらはぎがパンパンにむくんでしまうのですが…。

A まめにもんで、着圧ソックスを試してください。

むくみは「血流が悪く、体が冷えていて、血栓ができやすい」ことを知らせるサイン。脳梗塞などの重大な症状が起きる前に、血液とリンパ液の流れを、積極的に改善してください。

デスクワークの合間には、イスで1分間ふくらはぎマッサージ（PART1のP22〜25参照）を。

休憩時間には足首を回したり、ふくらはぎをもみほぐしたりして、足にたまってきている血液を、少しでも心臓方向に戻してあげましょう。

家では、お風呂に入った後、ふくらはぎマッサージをしてみてください。

最近さまざまなメーカーが売り出している、着圧タイプのソックスやストッキングもおすすめです。共通しているのは「つま先は圧力が低く、足首でキュッと圧迫して、ふくらはぎが70％、太もも40％などと、段階的に圧力を落としていく」機能。

もともとはＥＵ諸国で、血栓症の予防や、長時間立ったり座ったりしたまま仕事をする人のために医療用に開発されたもので、足先はリラックスして血液が流れやすく、足首から上は、血液やリンパ液が上がりやすいように考えられています。

Q こむらがえりがよく起こります。予防法はありますか？

A 水分、ミネラル、睡眠をよくとり、ふくらはぎを温めてマッサージを。

ふくらはぎや足の裏の筋肉が急にケイレンをおこし、強い痛みを伴うのが、こむらがえり。ふとんに入ってウトウトしている時や明け方、足を伸ばした拍子に激痛が走って、大声を上げてしまった。泳いでいる時、急に足がつってあわてた……。

そんな経験のある人は、その時の体調を思い出してください。体や足が疲れきっていたり、充分な準備運動をしないで泳いでいませんでしたか？　あるいは、不摂生やあまり体を動かさない生活が続いていませんでしたか？

こむらがえりの原因としてわかっているのは、疲労物質の乳酸、水分やミネラ

ル・ビタミンの不足、アルコールの摂りすぎ、運動不足など。

また、運動のしすぎや過労などで、体全体が疲れきってしまうと、筋肉に乳酸がたまって痛みやケイレンを引きおこします。

ミネラルは筋肉の収縮や弛緩のバランスをとっているので、これが不足しても、筋肉が異常収縮を起こして痛みが起こりやすくなります。ミネラル不足は食事の影響だけでなく、急激な運動、冷え、血行不良によっても起こります。

ビタミンが足りないと、手足の末梢がしびれたり痛むことがあります。アルコールの代謝には大量のビタミンが必要なので、お酒好きはビタミン不足からくるこむらがえりが多くなります。

デスクワークなどでじっとしている時間が長く、歩き方は「すり足」ぎみで、ほとんどアキレス腱や足首を動かしていない。そんな「退化」したふくらはぎも、こむらがえりのもとです。

こむらがえりがよくおこる患者さんのふくらはぎは、びっくりするほどかたかったり、逆に全く手ごたえがなかったり、奥のほうにコリコリした筋肉のかたまりがあったりすることが多く、また、ちょっと押さえただけで、飛び上がるほど痛がります。

最近、やけに足がつるという人は、ふくらはぎを、痛むならさするだけでもいいので、少しずつほぐしてください。お風呂上がりがおすすめです。

こむらがえりの対処法は「ふくらはぎの筋肉を伸ばす」こと。

①足を伸ばし、片手でひざを押さえながら、もう片方の手で、足のつま先をゆっくり顔のほうへ曲げて、ふくらはぎの筋肉をよく伸ばす。

②寝ている時につった場合、近くに壁があったら、そのまま足の裏で壁や床を強く押す。

③近くに人がいたら、足の裏を押してもらう。

Q ちょっともんでも、ふくらはぎがすごく痛むんですが…。

A 最初はさするだけで大丈夫。時間と愛情をかけて回復させましょう。

病院に行くほどの不調はないけど、ふくらはぎを少し刺激しただけで、顔がゆがむほど痛い。

そういう方には「若いころはスポーツマンだったけど、いまは座っている時間が長く、ストレスが多く、休日も家でゴロゴロしていることが多い」というタイプをよくお見受けします。スポーツマン時代に作られたよい筋肉が、出番を失ってこりかたまったまま衰えて、無用の長物になっているんです。

長い年月をかけて「硬化」したふくらはぎの毒抜きは、愛情をもってあせらずゆっくり進めます。最初はＰＡＲＴ１の「ふくらはぎマッサージのやり方」の、足指グーパーや足首を回すストレッチ、ふくらはぎをさすったり軽くたたいたりする、軽めのマッサージから始めましょう。

もむのは手のひらを使い、腹式呼吸で息をゆっくり吐きながらゆっくり押すと、痛みが少ないと思います。

Q ふくらはぎが太くてブーツが履けません。細くなるエクササイズは？

A 手軽で効果が高いのは、つま先立ち、つま先歩きです。

最近は季節を問わず、ブーツのおしゃれを楽しむ女性が増えて、細くてスラッとした美脚へのニーズがますます高まっていますね。

ふくらはぎを引き締めるには、筋肉に「負荷」つまり、プレッシャーをかける必要があります。ただし、足を痛めるエクササイズは困ります。

いつでもどこでもマイペースでできて、効果バツグンのふくらはぎスリミング法。それは「つま先立ち」「つま先歩き」です。

家事をしながら、電車のつり革につかまりながら、散歩の途中で、思い立ったらつま先立ち。歩ける状況ならそのまま歩きます。疲れたらすぐやめます。あとで必ず、ふくらはぎをマッサージしてください。

これは猫背ではできないので、背筋がビシッと伸びてバランスのいい立ち姿になり、プロポーション全体が美しくなります。

慣れてきたら、つま先立ちからかかとを上げ下げ、つま先立ちで階段の上り下り、つま先立ちスクワットと、ハードルを高くしていくことも可能ですが、肉離れがおきたりしたら大変なので、ほどほどに。

マッサージも、エクササイズも、くれぐれも無理しないように、ふくらはぎをいたわりながら進めてくださいね。

あとがき

ふくらはぎマッサージの不思議な力

よい出会い、ご縁がまたご縁を運ぶ、と言いますが、私とふくらはぎマッサージの出合いもまさにそうでした。

自律神経免疫理論を確立された、安保徹先生（新潟大学大学院医学部教授）とのご縁をまずいただき、安保先生と東北大学医学部の同期生であった医学博士・加藤信世先生とのご縁がつながりました。

その信世先生のご紹介で10年ほど前、スタッフ2人と共に、石川洋一先生のふくらはぎマッサージの施術を初めて体験することができたのです。

私たち3人は、石川先生のマッサージを受けて5分もたたないうちに、それぞれ全身から汗がにじみ出るほどの効果を体感しました。持病の腰痛が、その場で軽くなったスタッフもいました。

風邪をこじらせた医師が、目の前で快方に

いちばん驚いたのは、4人目に施術を受けた信世先生の変化でした。

その日、信世先生は風邪をこじらせ、本来なら寝込んでいる状態でした。マスクをしてゴホゴホと苦しそうに咳こみ、「熱もあって、なにも食べられないんです。でも、この機会を逃がしたら、いつ石川先生にご紹介できるかわからないから」。

私たちのために、大変つらい体調を押して、足を運んでくださったのでした。

ところが石川先生のふくらはぎマッサージを受けた直後、あれほどひどかった信世先生の咳が、ピタリとおさまっていたんです。さらにその後の夕食でも、よく話し、笑いながら、私たちと同じ定食をおいしそうに召しあがる。あまりの変化に、ご本人も含めて一同ポカン。

キツネにではなく、ふくらはぎにつままれたような不思議な感覚を、昨日のことのように思い出します。

数日後、「風邪が全快しました！」と、信世先生から元気なお電話をいただきました。

数十年来の全身アトピーが2年半で快癒

ふくらはぎマッサージの威力に感じ入った私は、石川先生のクリニックに数回、足を運んで施術を受けました。たまたま診療室に居合わせた60代の女性は、数十年来の、全身にひろがったアトピー性湿疹から解放されたそうです。

どんな病院で治療を受けても、どんな薬を使っても悪化するばかりで、顔も腕もおなかも足も、血がでるまで何度も掻きむしってただれていたのが、石川先生のふくらはぎマッサージで少しずつよくなったそうです。

２年半でつま先から髪の生え際まで、かゆくない、きれいな肌を取り戻せたと、涙ながらに語っておられました。

これは本物だ。外科医として、アメリカでも日本でも活躍されていた石川先生に、メスを捨てさせただけの価値がある療法だ。

改めて感じ入ったものです。

妻のひざ痛が治った

また私の妻はひざ痛のため、正座もできない、階段の上り下りもできないというありさまが長く続いていました。

鍼灸師にお願いしてハリ治療をしても、少しもよくならない。そこで石川先生のご指導を受けたふくらはぎマッサージを、私自身が妻に施術してみました。

最初はふくらはぎがガチガチにかたく、指で押すとひどく痛がっていました。が、何回かやっているうちに筋肉がほぐれて、かたさも痛みもやわらいでいく様子を目のあたりにして、感動したものです。

今も私は、週に何回か、自分自身と妻のふくらはぎをマッサージしています。おかげさまで妻は不自由なく歩けるし、正座も、階段の上り下りもできるようになりました。

78歳を迎えた私自身のふくらはぎも、みなさまに自慢できるほど最高の「つきたてのおもち」状態で、1日2万歩ぐらいはなんの苦もなく歩けます。

石川先生の遺志をつないで

ふくらはぎマッサージに魅せられた私たちは、この療法を、人々の身心健康のために大衆化できないものかと思い立ち、まず、石川先生公認のインターネットサイト「ふくらはぎドットコム（http://www.fukurahagi.com/）」を立ち上げました。これまでに70万人以上のかたがアクセスされています。

また、私が代表を務める「身心健康堂」「身心養生苑」に先生を何度もお招きし、講習会を開催して、その模様をＤＶＤに収めました。

当院の施術にも「ふくらはぎマッサージ健康法」を導入しました。

身心健康堂院長で治療家である本書の著者・槇孝子さんが、ことのほかこの健康法に研究心と情熱を燃やし続けて、患者さまの施術に励んでいます。

それにしても、「ふくらはぎが取りもってくれた」としか言いようのないご縁の不思議には、感じ入るばかりです。

この健康法を探求するにつれて、ハッと気づいたことがあります。

安保先生の自律神経免疫理論と、本文で詳しく解説したふくらはぎマッサージ理論が、あまりにもぴったりと一致するのです。

ご興味がわいた方は、ぜひ安保先生の著書と読み比べてみてください。

石川先生は生涯現役を貫き、2009年に80歳の天寿を全うされました。

外科医としての輝かしいキャリアを捨て、以後30年近くにもわたり、ふくらはぎマッサージ療法に命を賭けて取り組まれた信念の強さ、大きさには敬服するばかりです。

川先生の大志を継ぐことを誓った私はいま、使命の大きさを痛感しています。

だれでも家庭で続けられるふくらはぎマッサージ健康法を、未熟ながら力の限り世に広め、石川先生にご恩返しをしていく所存です。

身心健康堂・身心養生苑　代表　鬼木　豊

発行日　2013年7月3日　第1版第1刷
発行日　2013年10月31日　第1版第17刷

監修者　鬼木豊
著者　槙孝子
デザイン　轡田昭彦＋坪井朋子
写真　井手孝高
編集協力　日高あつ子、ロハス工房

編集担当　黒川精一
営業担当　増尾友裕
営業　丸山敏生、熊切絵理、石井耕平、菊池えりか、伊藤玲奈、櫻井恵子、田邊曜子、吉村寿美子、大村かおり、高垣真美、高垣知子、柏原由美、大原桂子、寺内未来子、綱脇愛、上野結
プロモーション　山田美恵、谷菜穂子
編集　柿内尚文、小林英史、名越加奈枝、杉浦博道、舘瑞恵
編集総務　鵜飼美南子、高山紗耶子
講演事業　齋藤和佳
マネジメント　坂下毅
発行人　高橋克佳

発行所　株式会社アスコム
〒105-0002
東京都港区愛宕1-1-11　虎ノ門八束ビル
編集部　TEL：03-5425-6627
営業部　TEL：03-5425-6626　FAX：03-5425-6770

印刷・製本　中央精版印刷株式会社

Printed in Japan ISBN 978-4-7762-0793-1

＊本書は2010年10月に刊行した『たちまち体が温まる　ふくらはぎ健康法』（アスコム刊）を大幅な加筆修正により、改題したものです。